Gardenias en el lago

Gardenias en el lago

Jane Kelder

tombooktu.com

www.facebook.com/tombooktu
www.tombooktu.blogspot.com
www.twitter.com/tombooktu
#GardeniasenelLago

Colección: Tombooktu Romance
www.romance.tombooktu.com
www.tombooktu.com

Tombooktu es una marca de Ediciones Nowtilus:
www.nowtilus.com
Si eres escritor contacta con Tombooktu:
www.facebook.com/editortombooktu

Título: *Gardenias en el lago*
Autor: © Jane Kelder

Elaboración de textos: Santos Rodríguez
Revisión y adaptación literaria: Teresa Escarpenter

Diseño de cubierta: Santiago Bringas

ISBN Papel: 978-84-15747-92-5
ISBN Impresión bajo demanda: 978-84-15747-93-2
ISBN Digital: 978-84-15747-94-9
Fecha de publicación: Marzo 2016

Impreso en España
Imprime: Servicecom
Depósito legal: M-2477-2016

A mis padres, a Alberto, a Ramón, a Raquel,
a Toñi y a Nayra siempre.
A los profesores que me enseñaron a leer
y a los que me ayudaron a amar la lectura.
Al Club 16, a cada una de vosotras, por vuestra autenticidad.
A Mi rincón de lectura, por dar vida a la señorita Whittemore
y por vuestro apoyo.
A todos vosotros.

Índice

Prólogo

A principios de octubre, Leopold Blake aún no había conseguido trabajo. Llevaba desde finales de mayo leyendo todas las ofertas de los periódicos, los carteles en la calle, preguntando a la gente y visitando fábricas y empresas con el fin de encontrar un empleo, aunque tuviera que empezar de cero.

Seis meses antes, hubiera encontrado las puertas abiertas en cualquier lugar. Sus buenas referencias, su capacidad de esfuerzo y su talento lo hubiesen avalado. De hecho, otras empresas constructoras le habían hecho buenas ofertas, pero él había apostado por continuar en Future Foundations Company, donde había ido ascendiendo y ya dirigía proyectos.

Sin embargo, ahora todo había cambiado. Tras el accidente, su nombre había salido en todos los periódicos y ninguno de sus posibles contratantes lo ignoraba. Antes siquiera de que él se acercara a pedir un empleo, ya tenía las puertas cerradas.

Además, el comisario de policía de Scotland Yard, August Palmer, continuaba acechándolo. Ese hombre insistía en que la muerte de los dos hombres no era fruto de un accidente,

®᳂ 11 ੮

sino de un sabotaje, y con sus explicaciones había convencido al fiscal, el señor Carver, de su culpabilidad.

Blake había gastado la mayoría de sus ahorros en pagar a una prestigiosa firma de abogados para su defensa y, al fin y al cabo, había valido la pena, porque, si bien no lograron desmontar todos los razonamientos en su contra, al menos habían demostrado la fragilidad de las pruebas que había presentado el señor Carver. Básicamente, su argumento más poderoso había sido la declaración del señor Palmer, algo que los abogados de Blake esperaban contradecir con las palabras de Boseney, su ayudante en las obras del puente.

Sin embargo, aunque finalmente Boseney no había hablado con la contundencia que de él esperaba, pues había dudado en varias cuestiones importantes, los abogados lograron cuestionar las afirmaciones del comisario de policía y el juez absolvió a Blake por falta de pruebas.

Absuelto por falta de pruebas no era lo mismo que una declaración de inocencia y los periódicos continuaron cebándose en él a falta de otra carnaza. Además, sentía la sombra del señor Palmer, quien, tras la celebración del juicio, se había acercado hasta él para decirle: «No crea que esto acaba aquí. No cesaré en mi empeño hasta demostrar su culpabilidad».

Y cada vez que acudía a buscar un empleo donde sabía que se ofrecía, las palabras de ese hombre lo perseguían.

Aquella mañana, tras recibir la última negativa, Blake tomó la decisión que hacía días lo rondaba. Metió cuatro cosas básicas en una pequeña maleta y abandonó Londres.

I

ᘓᔓ᙮ᘒ

—¡Tess! –gritó el señor Gardner cuando vio que su hija se disponía a salir.

Ella alzó los ojos hacia el techo, contuvo un suspiro y esperó a que él se acercara sin deseo de desistir de sus intenciones.

El botones, que en esos momentos se dirigía hacia allí, detuvo su marcha y retrocedió unos pasos hasta desaparecer. Se temía otra discusión familiar y no le apetecía encontrarse en medio.

—Dígame, padre –contestó Tess cuando tuvo al señor Gardner al lado.

—¡No puedes irte ahora! El señor Courtenay va a venir sobre las once –le reprochó con contundencia él.

Ella dedicó una mirada interrogante al reloj que había detrás del mostrador de recepción y, a continuación, al tiempo que arqueaba las cejas, comentó sin inmutarse:

—No veo qué tiene que ver eso con que yo no pueda marcharme. La puerta es lo suficientemente grande si coincidimos en ella. Él puede entrar a la vez que yo salgo. Todos los detalles de este lugar están muy bien pensados. Es usted un genio, lo felicito, padre.

—¡Tess! —gritó el señor Gardner indignado—. ¡No me trates como si fuera estúpido! ¡Odio esa ironía tuya cuando la encauzas contra mí!

—Y yo odio tener que quedarme aquí un día soleado —añadió al tiempo que se colocaba los guantes impasible—. Supongo que su señor Courtenay sabrá entenderlo.

—Sabes perfectamente que el señor Courtenay viene a verte a ti. Si sigues haciéndole desaires, acabará desistiendo de su interés y eso es algo que yo no te perdonaría —la amenazó.

—Entonces, estaremos igualados, padre. Hay muchas cosas que yo tampoco le perdono a usted —respondió ella con una sonrisa que a su padre le pareció impertinente.

—¡Maldición, Tess! ¡No me hables con ese descaro! —dijo alzando la voz—. ¡Un día te arrepentirás de no haber aprovechado esta oportunidad!

—Si grita, va a espantar a los clientes. Debería tomarse una infusión relajante.

—¿Infusión? Si quieres que me relaje, suelta ese sombrero y dirígete al salón… O a las mesas de la terraza, si prefieres sol. Pero quédate aquí hasta que llegue el señor Courtenay y muéstrate amable con él.

—Es una lástima que sus nervios dependan de mis decisiones, padre. Me temo que estará alterado muy a menudo —dijo dispuesta a marcharse.

—¡No sé de quién has heredado esa tozudez y esa insolencia! Eres arrogante, desobediente y no tienes en consideración todo lo que te he dado.

—¿En serio no se imagina de quién puedo haber heredado esas características? —preguntó arqueando de nuevo las cejas y emitiendo media sonrisa mordaz.

—¿Puedo saber al menos adónde vas? —preguntó consciente de que no iba a lograr retenerla.

Antes de responder, ella se alisó la falda como si buscara molestarlo con su silencio. Sin embargo, al final lo miró a los ojos y, desafiante, respondió:

—Pensaba ir a la oficina de Correos, pero es posible que me detenga a hacer alguna visita aburrida con la finalidad de que el señor Courtenay ya se haya marchado a mi regreso.

—¡Tess! ¡A veces creo que hablas sólo con la intención de herirme! –le reprochó.

—No creo que pueda lastimarlo, padre. Es usted un hombre con mucho aguante –contestó sin esquivarle la mirada. Luego, acabó de colocarse los guantes y añadió–: Espero que tenga un buen día.

Mientras ella se alejaba, él masculló:

—¡Un buen día! ¡Sí, seguro que promete ser un buen día! –resignado a que su hija se marchara, hizo un aspaviento y, a continuación, se dirigió hacia el recepcionista y le preguntó–: ¿Ha llegado ya el pedido del señor Hubert?

La granja del señor Hubert era la que proveía de carne al Maple Path, el hotel del señor Gardner. Unos diez años antes, se había llamado Gardner House y estaba ubicado en el centro del pueblo. Pero con la llegada del ferrocarril, Horston se había convertido en un lugar muy frecuentado en verano y la prosperidad del negocio había empujado al señor Gardner a construir un nuevo hotel a las orillas del lago, donde había un hermoso arcedo. El Maple Path era ahora un lugar lujoso y de prestigio, aunque eso suponía que el dueño tenía que devolver mensualmente un crédito que no le permitía continuar invirtiendo en la ampliación. Quedaba por determinar a qué dedicar unos terrenos colindantes que también había adquirido tiempo atrás, pero, a falta de liquidez, por el momento había demorado esa decisión. Ese era uno de los motivos por los que estaba tan interesado en casar a su hija con el señor Courtenay, un sesentón acaudalado y deseoso de asegurarse un heredero. El señor Gardner sabía que, si se convertía en su yerno, le proporcionaría la cantidad necesaria para saldar su deuda y eso le permitiría poder embarcarse en nuevas ampliaciones y mejoras. Más que ambición, lo que movía al señor Gardner era una incapacidad de conformismo y de estarse quieto. Necesitaba sentirse activo y no calmaba esa inquietud con el constante trabajo que le daba el hotel, sino que siempre quería más y más.

Y sabía que Tess no era fácil de casar. No sólo por su carácter tozudo, sino porque su figura no respondía al ideal de lo que los hombres consideraban atractivo. Alta, demasiado delgada y con un cabello rubio oscuro que no destacaba. Y mucho menos, porque siempre se lo recogía en un moño estirado que hacía que su rostro pareciera aún más menudo de lo que era. Su forma de vestir resultaba algo anticuada y le otorgaba un aire de severidad poco adecuado para su juventud. No era una muchacha desgarbada, pero sí tenía ciertos ademanes masculinos, sobre todo cuando se enfadaba. Además, era inteligente y usaba una ironía punzante en cuanto no estaba de acuerdo con alguna opinión. Así que, el señor Gardner estaba convencido de que no encontraría mejor partido para su hija que el señor Courtenay.

Fuera del hotel, Tess Gardner decidió acercarse al pueblo en bicicleta. Lucía un sol sin nubes amenazantes y el viento frío de días anteriores había amainado. Era un día de otoño estupendo para pasear, pero también para disfrutar de cualquier actividad al aire libre. El trayecto era corto y Tess estaba ansiosa por enviar la respuesta a la carta que había recibido del señor Farrell. Por supuesto, su padre no sabía nada de la existencia del señor Farrell y, mucho menos, de que ella hubiera respondido a un anuncio de matrimonio que había aparecido en un periódico nacional unos meses atrás.

El señor Farrell tenía una granja en Australia y buscaba una esposa educada en las costumbres inglesas, seguidora de la iglesia anglicana y con la suficiente fortaleza para ayudarlo en las tareas que requería la hacienda. Tess había visto en aquel reclamo la oportunidad de huir de la influencia de su padre y respondió de inmediato al anuncio. Sin embargo, no había tenido muchas esperanzas de ser la elegida, consciente como era de que sólo podría aportar la parte de la herencia que había recibido por parte de su madre.

Por eso se sorprendió cuando él le respondió y mostró interés en conocerla mejor, a través de la correspondencia, antes de tomar una decisión que los comprometiera a ambos. No esperaba que la fotografía que había enviado llamara su atención porque en aquella estampa no podía reflejarse su mejor virtud: la determinación de su carácter. Maud le había prestado un vestido elegante con el propósito de fotografiarse, pues siempre la acusaba de vestir de un modo demasiado formal en el que no lucía su figura. También la había peinado procurando favorecer sus rasgos, porque, habitualmente, Tess prefería recoger su cabello rubio oscuro, que consideraba demasiado fino, en un moño estirado que la hacía parecer mayor. Sin embargo, cuando vio el resultado no logró reconocerse en esa fotografía, en la que tuvo que sonreír sin existir motivo alguno para ello. Por tanto, envió la carta con la fotografía incluida en el sobre sin demasiadas esperanzas.

Cuando recibió respuesta, ella contestó con ilusiones renovadas y le contó cuáles eran sus lecturas favoritas y en qué ocupaba su tiempo rutinariamente, tal como él le había pedido. La siguiente carta vino de Australia y resultó que ambos coincidían en ser amantes de la poesía. El señor Farrell se animó incluso a añadir, en su misiva, un poema escrito por él, algo que, más que avivar el entusiasmo de ella, lo congeló durante unas jornadas, pues la afición a la poesía no garantizaba ser docto en escribirla y la composición, en sí, era penosa, aunque Tess hubo de reconocer que la métrica resultaba correcta.

Pasados tres días, la decepción por el poema no le impidió responder y la noche anterior había escrito unas cuartillas que ahora se disponía a enviar.

Si hubieran tenido la necesidad de concretar una fecha, hubiese bastado con un telegrama, pero por ahora la finalidad de esa correspondencia era conocer cada uno los gustos del otro y tratar de discernir si se colmaban expectativas.

Tess ignoraba cuántas cartas serían necesarias para adivinar si un matrimonio con la otra persona era una decisión inteligente. No tenía prisa por casarse por una cuestión romántica, sino que su impaciencia estaba vinculada al deseo de dar un giro a su vida y abandonar para siempre el frío y el lujo de un hotel que no sentía como su hogar.

Al llegar a la calle de la Holstead's Gallery, giró a la derecha y apretó el freno ante la oficina postal. Apoyó la bicicleta en la pared y entró a la vez que sacaba un sobre de su bolsillo, sin preocuparse por alisar los bajos de su vestido.

—Buenos días, señor Honycutt; buenos días, Polly —saludó con una sonrisa.

—Buenos días, señorita Gardner —respondió Polly, mientras el señor Honycutt se limitó a dirigirle una mirada seca mientras continuaba ocupado en atender a otra señora que no parecía vecina del lugar.

Tess se dirigió hacia la parte del mostrador en la que se encontraba Polly y le entregó la carta, a la vez que miraba de reojo al señor Honycutt y a la otra mujer. Casi en un susurro, comentó:

—Ya sabe. Mi padre no debe enterarse de esto. Cuando me responda, sea discreta, como siempre.

—Descuide —murmuró la otra—. Sam se lo entregará personalmente a la señora Young. Pero usted debe prometerme que, si alguna vez el señor Farrell le envía un retrato, me lo enseñará.

Tess asintió con un gesto automático, aunque se sintió falsa por no haberle contado que ya tenía un retrato. Sin embargo, la imagen del señor Farrell no era tal como ella había imaginado, así que prefirió no compartirlo consciente de que se sentía decepcionada.

Como en aquel momento el señor Honycutt fijó su mirada en ellas, Polly fingió sorprenderse y, en voz alta, dijo:

—Tiene usted razón, señorita Gardner. Me he puesto polvos de color esta mañana, pero me los he quitado enseguida. No sabía que aún se me notaran —comentó al tiempo que frotaba sus mejillas con la mano—. No vaya a pensar mal, son para unas figuras de cerámica que está haciendo mi hermano. No me gustaría parecer una mujer de esas de vida inmoral.

—Nadie podría pensar eso de usted —añadió Tess, tranquilizándose al ver que el señor Honycutt ya no les prestaba atención.

Luego, sacó unas monedas y se las entregó a Polly.

—No ha subido, ¿verdad?

—No, las tarifas son las mismas —respondió la mujer al tiempo que le devolvía el cambio.

—¿Hay algo para mi padre?

—Sí, había un par de cartas y un telegrama, pero ya se lo ha llevado Sam.

Antes de que Tess pudiera despedirse, una mujer pelirroja que sobrepasaba los cincuenta años entró atropelladamente en la oficina y enseguida se notó que pretendía reclamar la atención de todos los presentes, pues hizo unos aspavientos para que la miraran.

—¿No se han enterado? –preguntó en voz alta y con intención retórica, aunque temerosa de la reacción del señor Honycutt.

Pero si el señor Honycutt tuvo alguna intención de echarla de allí, hubo de reprimirla, porque la señorita Whittemore ya había conseguido que el resto tuviera depositada su expectación en ella, así que, después de santiguarse, añadió:

—El señor Hubert nos ha dejado –dijo enfatizando un deje de lamento.

—¿Quién es el señor Hubert? –preguntó la señora que atendía el señor Honycutt.

—El señor Hubert es… era un granjero muy querido por todos. Ya había cumplido los ochenta años –explicó Polly, verdaderamente conmovida ante la noticia.

—Exactamente tenía ochenta y cuatro años –matizó la señorita Whittemore, que no estaba dispuesta a que otra le robara el protagonismo–. La señora Twyman ha ido al cementerio a visitar la tumba de su marido y ha visto que la lápida de la señorita Lansbury estaba desnuda de flores.

—Eso no significa que… nos haya dejado. Es posible que esté enfermo –especuló Tess.

—El señor Hubert dejaba flores cada día en la tumba de su prometida. Ella falleció hace más de sesenta años –le explicó Polly a la desconocida.

—No, señorita Gardner –objetó la señorita Whittemore–. La señora Twyman ha avisado a la policía y un par de agentes han ido a buscarlo a su granja para comprobar si se encontraba bien. Pero, por desgracia, han tenido que forzar la puerta y han encontrado al señor Hubert en su cama. Le han puesto un espejo en la boca y no tenía aliento.

—No es necesario que dé tantos detalles –le recriminó el señor Honycutt.

—Tienen una idiosincrasia muy curiosa en este pueblo. En el mío, no es una noticia que un octogenario fallezca –opinó la señora de nombre desconocido, que volvió la cara hacia el señor Honycutt para continuar escribiendo su telegrama.

—¿Que no es una noticia? –Se ofendió la señorita Whittemore–. Sepa usted que el señor Hubert tenía una salud de hierro.

—¿Se sabe cuándo es el funeral? –preguntó Tess.

—No, pero seguramente mañana. La policía quiere asegurarse de que no ha sido asesinado.

—¿Encuentran a un octogenario muerto en su cama, se han visto obligados a forzar la puerta y piensan que ha sido asesinado? –preguntó la desconocida, que volvió a girarse con mirada impertinente.

—Es el protocolo habitual en casos así –le explicó Polly.

—En cierta ocasión, ya hubo un crimen en Horston, señora mía –se defendió la señorita Whittemore.

—De eso hace ya veintidós años –recordó Polly.

—Lamento mucho no quedarme a darles detalles. Como comprenderán, debo informar al resto del pueblo –dijo la señorita Whittemore, mientras salía al ver que el señor Honycutt empezaba a perder la paciencia.

—¿Es periodista? –preguntó la desconocida.

—¡Es una charlatana! –masculló el señor Honycutt sin ocultar su desprecio.

—Es la señorita Whittemore –aclaró Polly–. La diseñadora de sombreros.

—¡Oh! –se maravilló la mujer–. ¿De los sombreros Whittemore?

II

⟨෮⟩෯⟨෮⟩

⟨T⟩ess salió de la oficina de Correos apenada por el fallecimiento del señor Hubert. Su granja era la que proveía de carne al restaurante del Maple Path y, desde siempre, a la joven le había parecido un hombre entrañable. Su longevidad y el hábito de verlo dos días por semana a lo largo de su vida habían dado pie a esa idea infundada de que hay personas que siempre permanecen. Como había dicho la desconocida, la noticia no suponía ninguna sorpresa y, sin embargo, Tess se había quedado con una sensación de pérdida inesperada.

Montó de nuevo en la bicicleta y emprendió el camino de regreso al hotel. Se planteó por un momento detenerse a recoger flores para llevarlas a la tumba de la señorita Lansbury como homenaje al señor Hubert, pero después sintió que de esa manera vulneraba un derecho que no le pertenecía.

Se preguntó si el señor Hubert tendría algún pariente lejano que heredara la granja y descubrió que no sabía nada de él, excepto su amor eterno por la señorita Lansbury. Durante un momento, sonrió al pensar en la cara de su padre cuando descubriera que debía cambiar de proveedor de carne, pues ese era el tipo de incomodidades que no le gustaban.

El sol continuaba su ascenso e iluminaba las copas de los árboles, que mostraban un colorido variado de ocres, naranjas e incluso rojos. Un leve viento mecía las ramas y algunas hojas caían formando una alfombra otoñal por la que transitaba su bicicleta.

A mitad de camino, Tess vio que la señora Dobbin avanzaba en dirección contraria e iba acompañada de un desconocido. O, al menos, un hombre joven al que desde esa distancia no reconocía. A medida que se acercó, confirmó que no lo había visto nunca y, antes de detenerse a saludar, notó que la señora Dobbin hablaba entusiasmada con su acompañante, como si los nervios le impidieran callar, y sonreía de un modo compulsivo que a veces se convertía en una risita forzada. Aunque estaba casada desde hacía dos años con el señor Dobbin, la hija de la señora Delaney siempre había sido muy coqueta y a Tess le pareció que tonteaba con el desconocido, actitud que no le pareció correcta.

Él caminaba mirando al frente, como si estuviera pensando en otras cosas. Llevaba un traje gastado y, aunque no se le hubiera podido confundir con un harapiento, toda la elegancia la otorgaba su porte, no sus ropas. Con la mano derecha agarraba una maleta, lo cual le hizo suponer a Tess que acababa de llegar. Era alto y, aunque delgado, se notaba un cuerpo fornido. En la mano izquierda tenía un brote verde de campanilla que iba mascando como si fuera un cigarro. Su expresión era de indiferencia, como si fuera una de esas personas que mostrarían el mismo gesto ante la felicidad que ante la adversidad.

Tess se detuvo a un par de metros y saludó a la señora Dobbin, al tiempo que hacía un movimiento con la cabeza como deferencia al desconocido. Él le devolvió el gesto y ella notó como si la mirara con un fingido interés. Tenía unos ojos verdes enigmáticos y su rostro irradiaba una seguridad en sí mismo que enseguida le molestó. O lo que la incomodaba era la actitud rendida de una mujer casada como la señora Dobbin ante un hombre atractivo sin mostrar por ello ningún pudor.

—Acabo de enterarme de la muerte del señor Hubert —comentó sin saber cómo interrumpir la sensación de desagrado que aquella situación le estaba creando.

—Sí, es una pena —comentó la señora Dobbin, exagerando el tono quejumbroso de su voz—. Un hombre tan bueno... —pero enseguida se repuso de su pena y añadió—: ¡La vida es así! Unos nos dejan, otros vienen... Como el señor Blake —añadió con una sonrisa, señalando a su acompañante—. El señor Blake acaba de llegar a Horston y está buscando trabajo. ¡Oh, cómo no se me había ocurrido antes! —Exclamó con un brillo en sus ojos—. ¿Sabe si en el hotel de su padre hay alguna vacante?

—Leopold Blake. —Se presentó el desconocido, quitándose el sombrero ante Tess y mirándola de otro modo como si, en lugar de a una persona, se dirigiera a una oportunidad para encontrar trabajo.

—Lo siento, señor Blake, tenemos todas las plazas cubiertas —respondió sin plantearse siquiera si eso era cierto. Sin embargo, se vio obligada a estrechar la mano que él le tendió.

—Piénselo bien, tal vez encuentren alguna ocupación —insistió la señora Dobbin—. Se ve un hombre muy capaz.

—¿Y para qué está capacitado? —preguntó Tess, con más intención de mirarlo por encima del hombro que por curiosidad.

—Estoy segura de que podría servirle en muchas cosas, señorita...

—Gardner —apuntó ella.

—...señorita Gardner. —Luego, con menos sarcasmo, añadió—: He hecho un poco de todo.

—Ya veo. No tiene ningún oficio concreto. —A pesar del tono serio, él notó la burla.

—Le prometo que no se arrepentirá si me contrata —afirmó al tiempo que tiraba el brote de campanilla al suelo.

—Lo lamento, pero yo no contrato a nadie. Y mi padre ya cuenta con el personal que necesita. —Y, mirando a la señora Dobbin, añadió—: Tal vez en la tienda de modas de su madre, la señora Delaney...

—¡Oh! ¡Qué ocurrencia, señorita Gardner! Mi madre ya tiene a muchas que cosen para ella. Y lo cierto es que no veo al señor Blake cosiendo botones —se rio.

—¿Y no necesitan un mozo de los recados?

—Noto más interés en ofender que en ayudar por parte de la señorita Gardner —comentó el aludido a la señora Dobbin.

—¡Oh! -exclamó la señora Dobbin, mirando con severidad a Tess.

—No se ofenda –la calmó Blake–. Como verá, no permito que las palabras de según quien me afecten. Y, mientras decía esto, alargó su mano y agarró la de Tess. Sin ningún tipo de decoro, le quitó el guante y contempló su palma. Ella intentó zafarse, molesta con su actitud, pero él la retuvo sin ningún esfuerzo. Tras observarla, añadió:

—Por lo que veo, la señorita Gardner no conoce lo que es el trabajo.

Él la soltó con delicadeza y esta vez fue ella quien se sintió burlada. Tess le arrancó el guante que él aún sostenía en la otra mano, le dio la espalda y volvió a montar en la bicicleta sin ocultar su enojo. Antes de empezar a pedalear, dijo:

—Espero que encuentre un empleo a su altura. ¡Buenos días, señora Dobbin, supongo que nos veremos en el funeral del señor Hubert!

—¡Adiós, señorita Gardner! –Se despidió aquella.

Tess siguió avanzando más alterada de lo que hubiera debido y, cuando llegó a los jardines del hotel, vio el carruaje del señor Courtenay, por lo que se detuvo y pensó en retroceder. Pero regresar al pueblo supondría volver a cruzarse con la señora Dobbin y aquel hombre, así que se resignó, aparcó la bicicleta y se colocó el guante que antes había guardado en un bolsillo para no perder tiempo.

Entró en el vestíbulo procurando ser discreta, pero su padre se había sentado en los únicos sillones del salón que permitían ver la entrada y enseguida se levantó y la llamó:

—¡Tess! ¡Tess! ¡Ven aquí!

Sin ganas, pero para evitar mayor escándalo en el hotel, se dirigió hacia él y, cuando la vio aparecer, el señor Courtenay se levantó de su sillón y la saludó con exagerada cortesía.

—¡Buenos días, señorita Gardner! Ya estaba perdiendo la esperanza de verla hoy. –Un mechón de su flequillo grasiento cayó hasta la nariz del hombre, que no tuvo ningún pudor en retirárselo al tiempo que aprovechaba para retirar una viscosidad verde de uno de sus orificios.

—Buenos días, señor Courtenay —respondió ella con mayor sequedad y procurando no demostrar que el gesto de él le había asqueado—. Lo cierto es que no estoy de ánimos para atenderle, la muerte del señor Hubert me ha dejado afligida. Espero que me disculpe.

—¿El señor Hubert ha muerto? —preguntó el señor Gardner como si ese hecho lo estuviera ofendiendo—. ¿Lo estás diciendo en serio?

—¿Piensa que podría bromear sobre algo así? —le reprochó su hija.

—¿Y a quién compraré yo la carne? Estaba esperando un pedido importante que debía llegar esta mañana.

Tess hizo un gesto de resignación y, cuando se disponía nuevamente a marcharse, su padre la retuvo.

—Siéntate con el señor Courtenay y atiéndelo amablemente. Yo debo arreglar este asunto de inmediato.

—Vaya a la granja del señor Stevens —le recomendó el señor Courtenay—. Sus animales están bien alimentados.

Tess, a su pesar, no tuvo otro remedio que sentarse en un sofá enfrente de aquel hombre y esperó a que fuera él quien iniciara una conversación.

—Le estaba comentando a su padre que este viernes pienso dar una cena en mi casa y estaría encantado de que ustedes asistieran.

—¿Otra cena? —preguntó ella sin mostrar entusiasmo—. Es usted un gran amante de la vida social. No entiendo cómo vive aquí, seguro que en Londres disfrutaría más. ¿No se ha planteado pasar alguna temporada allí?

—¡Oh! Por nada pienso cambiar mi residencia... ¿O acaso a usted le gustaría vivir en Londres? —preguntó esperanzado.

Tess emitió un suspiro de incomprensión.

—Me extraña mucho que alguien pregunte sobre mis deseos, señor Courtenay. ¿Va a decir algo más que me sorprenda?

—¿No habrá pensado que no me gusta que habite aquí? Sepa que yo estoy encantado de tenerla como vecina. Es más, si usted quisiera, nuestra amistad podría llegar a ser muy especial —comentó él con la mejor de sus intenciones, mientras le dedicaba una mirada entusiasta.

Para evitar que el señor Courtenay hiciera hincapié sobre sus sentimientos hacia ella, Tess buscó un pretexto para marcharse.

—¡Oh! Disculpe, acabo de recordar que debo hablar con la señora Young. He de darle un recado importante —mintió—. No le importa esperar a que regrese mi padre, ¿verdad?

—La esperaré a usted. Un recado se transmite en pocos minutos. —Se engañó él.

—Tal vez tenga que quedarme a consolarla. Ella tenía mucho aprecio al señor Hubert y creo que no sabe nada de lo ocurrido.

Tess se levantó, cogió su sombrero y se dirigió a la zona de servicio. Entró en las cocinas y se topó con su padre, verdaderamente exaltado, que estaba regañando a un empleado. Cuando la vio allí, su humor no mejoró.

—¿Has dejado solo al señor Courtenay? —la increpó.

—Eso parece —comentó ella sin detenerse.

Cuando pasó por su lado, él la agarró por el brazo y la obligó a enfrentarlo. La arrastró sin delicadeza a un cuarto de provisiones en la que se encontraba un empleado, que salió de allí en cuanto los vio.

—¡Me ofendes a mí y ofendes a mis amigos, Theresa Gardner!

—¡Suélteme, padre! No pienso aguantar al señor Courtenay por mucho empeño que usted ponga en ello.

El resto del servicio, que se hallaba en la estancia de fuera, también decidió alejarse del lugar al comprobar el cariz que tomaban las cosas entre padre e hija.

—¡Lo aguantarás porque esa es mi decisión! Hasta ahora has rechazado a todos los pretendientes que te he buscado, pero no pienso tolerarlo más. El señor Courtenay es el elegido: te casarás con él.

—Se equivoca si piensa que voy a aceptar —respondió ella con voz tranquila, pero firme.

—¡Te equivocas si piensas que voy a tolerarte un desaire más! Tienes veinticuatro años, Tess, ¿acaso quieres convertirte en una solterona?

—¿Acaso le importa lo que yo quiero? ¿Acaso le importó lo que quería mi madre? ¡Usted sólo piensa en sí mismo, padre! Si el señor Courtenay no tuviera dinero, le importaría un bledo mi soltería. ¡Deje de fingir que se interesa por mí!

El señor Gardner estuvo a punto de perder la cordura e hizo un ademán de abofetearla, pero la mirada desafiante de ella lo obligó a controlarse y se conformó con zarandearla:

—¡No me gusta que me hables así! ¡Y no mientes a tu madre! Tú no sabes lo mucho que yo la amé, no sabes lo mucho que sufrí cuando ella se marchó...

Tess, lejos de acobardarse, volvió a enfrentarlo mientras se liberaba de los brazos que la agarraban.

—¿Y qué tenía que hacer ella? —le reprochó—. ¿Soportarle todas sus amantes? ¿Bajar la cabeza cuando la señalaban como la mujer más deshonrada de Horston?

El señor Gardner estaba fuera de sí, pero no volvió a tocarla. La miró enojado y le gritó:

—¡No me importa lo que pienses de mí! ¡Ya sé que todo lo que he hecho no ha servido para nada! ¡En tu cabeza sólo están las ideas que te inculcó tu abuela, aquella bruja perversa! Pero esta vez estoy decidido, Tess, me vas a obedecer quieras o no. ¡Te prometerás con el señor Courtenay antes de que acabe el año!

Los gritos del señor Gardner retumbaron en la pequeña estancia y la mirada que dedicó a su hija fue de verdadera amenaza.

—Eso es imposible, padre —dijo ella rabiosa—, porque ya estoy prometida.

El señor Gardner se quedó perplejo unos instantes y ella se regodeó en su pequeña victoria con una mirada mordaz. Cuando él reaccionó, se rascó la cabeza y comentó, sin bajar la voz:

—¡No te creo! ¿Con quién puedes haberte prometido tú?

—Con el señor Farrell, padre, y ya puede ir creyéndoselo porque muy pronto seré la señora Farrell.

De nuevo, el señor Gardner se quedó sorprendido ante la determinación con la que hablaba su hija y, tras un instante de desconcierto, preguntó:

—¿Y quién diablos es el señor Farrell? ¿Dónde lo has conocido? ¿A qué se dedica? ¿Tiene dinero?

—Me fascina su interés por saber si soy feliz —ironizó ella con una sonrisa impertinente.

—¡Oh, Tess! ¡No me vengas con esos cuentos de la felicidad! ¡Sólo estamos hablando de matrimonio! ¿Vas a decirme quién es él?

—Es un granjero, padre, y...

—¿Granjero? –la interrumpió–. No conozco a ningún Farrell granjero por aquí. ¿Acaso es de Culster? ¿O de otro pueblo del condado?

—No, no es de Culster. El señor Farrell vive en Katoomba. Así que, como ve, padre, muy pronto se librará para siempre de mí –le respondió, regocijándose en ello a continuación, le dio la espalda, abrió la puerta, y salió de aquella estancia.

El señor Gardner no la siguió y se quedó preguntando en voz alta:

—¿Katoomba? ¿Dónde está Katoomba?

III

La iglesia de Horston estuvo
En contra de la suposición de la señorita Whittemore, el funeral se celebró aquella misma tarde. La iglesia de Horston estuvo repleta y mucha gente aguantó la misa de pie ante la imposibilidad de encontrar asiento. Incluso hubo gente que permaneció afuera.

Tess se colocó al lado de su amiga Maud Southgate, mientras su padre, en lugar de permanecer quieto y mostrar respeto hacia el féretro que se hallaba frente al altar, se dedicó todo el oficio a hablar con el señor Stevens a fin de detallar toda la carne que necesitaba para aquella semana. A pesar de las miradas que le dedicó su hija para que se callara, fingió no darse cuenta o hizo caso omiso de ellas.

Cuando terminó la ceremonia, muchas mujeres partieron hacia el cementerio con ramos de flores para dejarlas sobre la tumba de la señorita Lansbury y los hombres quedaron discutiendo sobre el entierro. Al principio, estaba previsto enterrar al señor Hubert después del funeral, pero cuando se supo que su tumba no sería la que estaba al lado de la señorita Lansbury, hubo tantas quejas que la decisión quedó suspendida hasta el día siguiente.

La gente pensaba que un amor como el suyo merecía un final feliz, aunque fuera después de la vida, y la poca sensibilidad de las autoridades locales hizo que muchos se indignaran. Por supuesto, la señorita Whittemore era una de las que encabezaban la protesta.

El señor Woddward, alcalde de Horston, sabía que aquel era un año de elecciones y que Archibald Harding había anunciado su candidatura. Así que, al ver el revuelo popular que se había armado por la fosa donde iba a ser colocado el cuerpo del señor Hubert, suspendió la orden de enterrarlo para no enfadar a los votantes y se quedó hablando con algunas personas importantes y con el vicario, el señor Odell, para ver qué hacían con el ataúd.

—¿Has oído hablar del forastero? —le preguntó Maud a su amiga, mientras esperaban fuera de la iglesia a que el alcalde tomara una decisión.

—¿El forastero? —preguntó Tess, sintiendo un escalofrío al intuir que se refería al hombre que había conocido esa mañana.

—Sí, ha llegado un hombre a Horston buscando trabajo y parece ser que es muy atractivo.

—Llegan muchos hombres buscando trabajo, no veo por qué debe ser una noticia —respondió, fingiendo indiferencia.

—¡Oh! ¡No me escuchas! Acabo de decirte que es muy atractivo. Por lo visto, ya hay varias que han fijado sus ojos en él.

Tess arqueó las cejas.

—¿Fijar los ojos en alguien que no tiene trabajo? ¡Qué insensatez!

Acompañó la exclamación con una expresión de rechazo, esperando que su amiga cambiara de tema.

—¡Vamos, Tess! ¿Prefieres al señor Courtenay con todo su dinero y sus casi sesenta años? ¿O va en serio eso de que pretendes marcharte a Australia con un desconocido?

—Hoy he contestado a su última carta —respondió con determinación.

—Bien, como quieras —comentó con un ápice de desprecio su amiga—. Ya te he dado mi opinión sobre ese tema y sabes que me parece una locura, no sería una buena amiga si no te advirtiese. Allá tú con tus desvaríos. Embárcate en las aventuras que te plazcan, pero yo no soy tan arriesgada como tú. Y tengo el dinero suficiente como para que no me importe si un hombre tiene trabajo o no. Pronto cumpliré veintisiete años y, si ha llegado un tipo interesante a Horston, te aseguro que haré lo que sea por conocerlo. Mañana mismo visitaré a la señora Mitchell.

—¿Qué tiene que ver la señora Mitchell en esto? –preguntó Tess, aunque en esta ocasión no logró fingir falta de interés.

—Le permite pasar la noche en su cobertizo mientras él arregla su chimenea.

Tess la contempló esperando que añadiera algo más.

—Y te puedo asegurar que ayer salía humo de esa chimenea. La señora Mitchell, viuda ejemplar de más de cuarenta años, no ha podido evitar sucumbir al encanto de un hombre que, como mucho, habrá cumplido los treinta.

—Y ese es un gran mérito que buscas para tu futuro esposo: ser capaz de seducir a mujeres sólo por interés. Te felicito, Maud, pero no me invites a tu boda –le reprochó con desdén.

—¡Cómo te gusta tergiversar! Yo no he dicho que él sea de ese tipo de hombres. Lo que estoy intentando que entiendas es que, según dicen, tiene un atractivo muy peculiar. Tal vez no sea el tipo de rasgos finos y de una belleza perfecta, pero, según he oído, es tremendamente masculino. La hija de la señora Delaney lo ha tratado y ha quedado prendada de su voz. Hasta la señorita Whittemore no dejaba de hablar de él.

—¿Hay algo sobre lo que no deje de hablar la señorita Whittemore?

Maud Southgate resopló y mostró una sonrisa desdeñosa.

—Bien, asumo que no me acompañarás a visitar mañana a la señora Mitchell. Pero luego no te quejes si me pides que te lo presente y me niego.

—No tengo ningún interés en relacionarme con un tipo como ese.

Mientras hablaban, Tess notó que Nicholas Wayne, el dueño de la herrería, miraba hacia ellas. Era una sensación que tenía últimamente cuando se cruzaba con él: que la observaba mucho. Decidió hacer caso omiso a ese hombre y continuó escuchando a Maud, aunque tuviera que armarse de paciencia.

—Recuerda lo que pasó con el señor Spacey. Tu padre insistía en casarte con él y, cuando por fin te planteaste esa posibilidad, él se comprometió con la señorita Dankworth.

—El señor Spacey se enamoró de la señorita Dankworth nada más conocerla y me alegro de que sean muy felices. Y yo sólo me planteé abandonar a mi padre, el cómo no era relevante. Ahora, gracias al señor Farrell, no sólo podré alejarme de su influencia, sino también de él.

—Dicen que es un gigante —añadió Maud.

—¿Quién?

—El forastero.

—Es alto, de acuerdo, pero llamarlo gigante me parece exagerado. Seguro que esas palabras han salido de la señorita Whittemore.

—¿Lo conoces? —preguntó levemente enojada Maud—. ¿Conoces al forastero y no me has dicho nada? ¡Oh, Tess, a veces eres intratable!

—Creo que es el tipo que esta mañana llegaba al pueblo acompañado de la señora Dobbin —respondió, haciendo caso omiso del reproche.

—Ya te he dicho que ha alternado con ella. ¡Por supuesto que debía de ser él! Y ¿qué te ha parecido? ¿Es tan guapo como dicen?

—Se da muchos humos para ser un don nadie.

—¿Y sus ojos? Todas hablan de sus ojos...

—Sólo tiene dos.

—¡Tess! Cuando quieres, resultas odiosa.

—¿Y qué quieres que te diga? ¿Que basta con tener unos ojos bonitos para llamar mi atención? ¡Odio a ese tipo de hombres que no tienen ni un mínimo de modales!

—Sí, está visto que prefieres a los que escriben malos poemas. Vamos —insistió—, cuéntame más cosas. ¿Sabes su nombre?

—Me ha parecido entender que se llama Blake. Y, en serio, me ha dado la impresión de que la palabra humildad no está en su vocabulario. No me ha gustado nada. ¡Menos que nada! Por mí, todo tuyo. Pero quedas advertida: si te casas con él, te haré las visitas de rigor, ni una más.

—Con más motivo tienes que acompañarme mañana a casa de la señora Mitchell. Si se niega a presentármelo, al menos él estará obligado a saludarte a ti, y entonces podrás presentármelo tú.

—No insistas. Además, he visto que, cuando la señora Mitchell partía con las flores hacia el cementerio, la rodeaban muchas mujeres. Seguro que no serás tú su única visita.

—Buenas tardes, señorita Southgate; buenas tardes, señorita Gardner, encantado de verla otra vez –las interrumpió el señor Courtenay–. He comprobado que su padre ha partido con el señor Stevens hacia su granja. Yo he traído el coche, ¿les apetece que las acompañe?

Maud sonrió con picardía a su amiga y Tess, que sin necesidad de mirarla entendió la burla, respondió:

—Es usted un dechado de amabilidad. Es una lástima que no la invierta en otro lugar. Maud y yo somos amantes de los paseos.

—Pronto oscurecerá. No es conveniente que la oscuridad las sorprenda por el camino.

Era cierto. El sol se estaba ocultando tras los viejos robles y los pájaros despedían la luz con cantos y bailes de regreso.

—No tema, señor Courtenay, seremos prudentes.

Antes de que Tess pudiera dar por zanjada la conversación, el hombre añadió:

—Entonces, esperaré ansioso a verla mañana en la cena. La señorita Southgate y sus padres también asistirán.

Ella asintió con los ojos. Saber que acudiría Maud le hacía más soportable la situación y, al fin y al cabo, no se sentía con ganas de volver a discutir con su padre.

—Las espero sobre las ocho.

Afortunadamente, después de estas palabras, se despidió. Tess miró a su alrededor y se dio cuenta de que, efectivamente, su padre había desaparecido.

En aquellos momentos, el señor Woddward ya había adoptado la decisión de agradar a los votantes y el entierro se demoró para el día siguiente a fin de cambiar de sitio la tumba del señor Price y colocar en su lugar, al lado del cuerpo de la señorita Lansbury, la del octogenario granjero.

La encargada de comunicárselo a las dos jóvenes fue la señora Barrymore, la esposa del médico.

—Hubiera sido una lástima que los enterraran alejados –convino Maud.

—Eso pensamos todos —añadió la señora Barrymore—. Pero la hermana del señor Price no está nada contenta con la decisión. Se ha estado oponiendo a pesar de las quejas del resto del pueblo.

—Deberían hacer una buena tumba para el señor Price con intención de compensar a la familia. Después de todo, llegó a ser alcalde de Horston —comentó Maud.

—La señorita Price está exigiendo un mausoleo —les informó la señora Barrymore—. Dice que si no hay mausoleo, no autoriza el cambio de tumba. Pero Archibald Harding ha protestado porque piensa que, si el señor Price tiene un mausoleo por haber sido alcalde, su padre y todos los que han sido alcaldes de Horston merecen otro.

Tess, viendo que la conversación se alargaba, aprovechó ese momento para despedirse de ambas.

Regresó caminando al hotel, agradecida por no tener que hacerlo acompañada de su padre. Durante el trayecto, el recuerdo del forastero regresó a su mente, pero lo ahuyentó forzándose a pensar en el señor Farrell.

Nada más llegar al Maple Path, la señora Young salió a su encuentro y le preguntó por el señor Gardner.

—Creo que se ha quedado negociando con el señor Stevens. Ni siquiera se ha despedido de mí. O tal vez haya acudido a su granja para echar un vistazo a los animales —respondió la joven.

—¿Se encuentra bien? —le preguntó la vieja cocinera—. Esta mañana he oído que discutían.

—Es el tema de siempre, señora Young.

—¿El señor Courtenay?

—Sí. Me estoy planteando provocar algún escándalo que me convierta en una candidata indeseable. Estoy muy cansada de la presión que ejerce este tema sobre mí. Me siento una mercadería.

—No desespere, señorita Gardner. Verá cómo el señor Farrell le propone matrimonio en la próxima carta y podrá marcharse de aquí.

—¡Oh, señora Young! Mi padre me ha sacado tanto de quicio que le he confesado mi correspondencia con el señor Farrell.

Espero que eso no le sirva para romper nuestra comunicación. Estoy convencida de que lo hará si tiene ocasión.

—¿Sabe que las cartas las recibo yo?

—No. Eso hubiera supuesto un desastre.

—Entonces, no hay problema, señorita Gardner. En estos asuntos soy muy discreta y sé cómo manejar a su padre. Llevo muchos años a su servicio.

—Ha tenido usted mucha paciencia.

—Es más difícil como padre que como amo, aunque reconozco que mi marido y yo somos cumplidores. Cuando algún empleado no se ha comportado como debía, su padre no ha tenido piedad en sus represalias.

Tess no respondió. Le dedicó una sonrisa de agradecimiento y le pidió que enviara a una criada con la cena a su habitación.

—Prefiero cenar sola, no vaya a ser que mi padre regrese pronto y tenga ganas de discutir —se justificó.

—He preparado pastel de manzana. He supuesto que hoy necesitaría algo que le alegrara el día.

—Es usted muy amable, señora Young.

—Por cierto, hay un hombre en la terraza de atrás que ha preguntado por el señor Gardner.

La sonrisa de Tess se vio borrada en un instante y un presentimiento la sobrecogió.

—¿Quién es? —preguntó alarmada.

—Parece forastero. Tendrá unos treinta años y es muy alto. Me ha dado la impresión de que busca trabajo.

—Dígale a su marido que lo eche. No necesitamos a nadie.

—No estoy segura de eso. Woods ha tenido un accidente y necesitamos a alguien que se encargue del embarcadero mientras él se recupera.

Tess hizo un gesto de desagrado, pero no insistió en su demanda. Luego, subió a sus estancias antes de que regresara su padre.

IV

֎

(E)l día amaneció soleado, aunque unas nubes lejanas y oscuras amenazaban con robar ese esplendor. Tess abrió las cortinas, se aseó y luego bajó a desayunar con el servicio. Antes de entrar en las estancias, pasó por el vestíbulo, saludó a unos clientes primero y después al señor Young, que atendía la recepción.

Nada más entrar, echó un vistazo general para cerciorarse de que el forastero no se encontraba allí y, de alguna manera, se sintió más tranquila cuando no lo vio. La señora Young la saludó y Tess también le dio los buenos días.

—Su padre ha salido muy temprano esta mañana. Parecía ansioso.

Mientras Tess se servía café y se sentaba a la mesa, respondió:

—Supongo que habrá ido a la granja del señor Stevens. Ayer estuvieron negociando. Por favor, ¿me alcanzaría el azúcar?

La señora Young le pasó el azucarero, que se encontraba en una alacena, y luego añadió:

—No lo creo. Acaba de llegar un pedido de carne. Debieron de llegar a un acuerdo ayer.

—Es posible que haya partido hacia el funeral del señor Hubert, aunque lo dudo, ya que no está previsto hasta mediodía.

Espero que no llueva –especuló y, como quien no quiere la cosa, añadió–: Supongo que no contrataría al forastero de ayer.

—Sé que estuvieron charlando un rato, pero no debieron llegar a un acuerdo, porque después él se fue y el señor Gardner no nos ha dicho nada sobre un nuevo empleado. Y no creo que llueva, el viento está alejando las nubes.

Tess removió el té con leche con cierta satisfacción y se sirvió en el plato un trozo de pudin, pero el buen humor se le pasó en cuanto recordó que esa noche tenían que ir a cenar a casa del señor Courtenay.

—¿Cuál diría usted que es el vestido que peor me sienta? –le preguntó de pronto a la encargada de cocina.

—¿Qué tipo de pregunta es esa? ¿O acaso piensa regalar alguno a la Iglesia? –preguntó sorprendida la señora Young.

—¡Ay! En realidad no sé qué hacer para que el señor Courtenay pierda su interés en mí. Le aseguro que no me he mostrado con él como debería, no he sido lo que se llama precisamente agradable. Pero él obvia mis comentarios malintencionados y continúa en su empeño. No sé si es un hombre demasiado benevolente o demasiado estúpido. Ninguna de las dos características me parece respetable. –Y, tras reflexionar unos instantes, añadió–: ¿Cree que el verde está suficientemente desgastado? Tal vez, si le añado una mancha de mantequilla...

La señora Young le dedicó una mirada benévola.

—El señor Courtenay es demasiado viejo. Y el señor Gardner le hace creer que tiene expectativas, así que, por muchos vestidos desgastados que lleve, manchas de mantequilla o palabras desagradables que le dedique, no lo hará desistir.

—Tiene usted razón. O no. Tal vez, si aparezco desnuda...

—¡Por Dios! ¡No me haga blasfemar! Ya bastante escandaliza usted a su padre prefiriendo comer con nosotros en lugar de hacerlo en el comedor principal.

—Sabe usted que no hablo en serio... por el momento –bromeó, y el tono humorístico de su voz tranquilizó a la señora Young.

En aquel momento, una limpiadora entró en el comedor del servicio como si buscara algo o a alguien y, cuando reparó en Tess, comentó:

—¡Oh! ¡Está usted aquí! El señor Gardner me ha pedido que le diga si puede usted hacer el favor de ir a la biblioteca a buscar un libro para la señora Harper.

—¿La señora Harper?

—La huésped de la habitación 107, una señora que...

—Sí, la recuerdo –la interrumpió Tess–. ¿Y por qué tengo que ir yo a buscar un libro? ¿Por qué no se lo ha pedido a Sam?

—Los Harper han salido hoy de excursión a Candish. Regresarán tarde. Y Sam ha pedido el día libre para acudir al funeral del señor Hubert –señaló la limpiadora.

—¿Todo el día libre para un funeral? –se extrañó–. Bueno, iré y, de paso, cogeré otro para mí. Hace tiempo que Maud me insiste en que lea una novela francesa. ¿Sabe dónde está mi padre, Amy?

—Se está cambiando para acudir al funeral. Acaba de llegar, pero ignoro dónde ha estado. Ya sabe que no suele contarme sus cosas a mí, y menos últimamente, con el humor que trae porque usted no se decide a casarse con alguno de sus pretendientes.

—Entonces, ¿cómo sabré de qué libro se trata?

—Lo tengo apuntado en esta nota –dijo la mujer al tiempo que le entregaba el papel.

—Bien, entonces, iré en bicicleta a Horston, no vaya a ser que mi padre pretenda hacer el camino conmigo. –Y dicho esto, se pasó la servilleta por los labios y, a continuación, añadió–: Muy bueno el pudin, señora Young.

Pero la señora Young no sonrió. Sentía mucho aprecio por Tess y le dolía que la relación con su padre fuera siempre tan tensa. No podía decir que no la entendiera. De alguna manera, lo ocurrido en el pasado la ponía en contra de él. La muerte de la señora Gardner, aunque él quisiera negarlo, tuvo que ver con la apatía en la que ella quedó sumida cuando su marido le quitó a su hija. Y esa era una idea muy arraigada en el alma de Tess.

Su abuela, la señora Barnes, siempre había acusado a Colin Gardner de ser el causante de la muerte de su hija, es decir, la madre de Tess. Los disgustos continuados y, luego, el definitivo fueron, según ella, el motivo por el que su hija se había ido apagando hasta perder el último aliento. Y como la señora Barnes murió cuando Tess ya había cumplido los catorce años, tuvo tiempo suficiente para inculcarle esa creencia a su nieta.

Desde que recordaba la señora Young, los fuertes caracteres de padre e hija chocaban en cuanto se dirigían la palabra y mucho más desde que Colin Gardner se había empeñado en buscar un marido para ella pensando que era lo mejor que podía hacer por Tess. Y eso ocurría desde que su hija había cumplido la mayoría de edad, hacía ahora más de tres años; sin duda, los más turbulentos de su relación, recordó la encargada de cocina.

El señor Gardner había sido un hombre corpulento y de complexión fuerte, aunque a día de hoy estaba más grueso que fornido. Su sola presencia imponía y, si además sumamos su carácter autoritario, a veces grosero, no era fácil en el trato, aunque la señora Young había aprendido a relacionarse con él sin encontronazos. No así su hija, que también era decidida y lo enfrentaba sin dejarse amedrentar, aunque lo cierto era que a nadie más trataba con aquella insolencia tan suya, sutil e irónica, pero inflexible.

Mientras Tess salía de la zona de servicio, la señora Young regresó de su viaje por la memoria y la observó con cariño. La hija del señor Gardner abandonó el hotel y se dirigió decidida a buscar su bicicleta. Lo cierto es que a la joven le apetecía más caminar, pero pensó que ya lo haría a la vuelta. Ahora, lo prioritario era que su padre no volviera a insistirle sobre las supuestas bondades del señor Courtenay.

En cuanto salió del sendero de los jardines del hotel, se sintió aliviada. Pedaleaba despacio para no acalorarse y, a medida que ganaba en confianza, su mirada se dispersaba contemplando las llanuras soleadas a un lado y la zona arbolada, al otro. Las nubes, que habían amenazado el día a primera hora de la mañana, se estaban alejando y eso le infundía ánimos, pues no era una muchacha que se dejara llevar por el mal humor.

Cuando cogió la curva a mitad de trayecto, un obstáculo la obligó a detenerse. Frenó y se quedó contemplando el camino, como si estudiara sus posibilidades. Al principio pensó que había habido un accidente, porque vio un artilugio de trillar tumbado en el punto en el que el camino se estrechaba. Si, en efecto, había sido un accidente, al menos se habían molestado en desenganchar al animal, porque no se veía ningún burro ni buey ni caballo alrededor, pero Tess se sintió indignada de que no hubieran dejado la trilladora arrinconada de tal modo que no molestara. Lo perfecta que había quedado colocada para obstruir el paso le hizo sospechar, de pronto, que aquello podía ser intencionado. Pero, ¿quién querría hacer algo así? Se bajó de la bicicleta con la idea de bordear el obstáculo por la zona arbolada, porque, por la otra, la inclinación ofrecía mayor dificultad. Avanzó sin dejar de mirar la trilladora, aún asombrada de su presencia allí. Al cabo de unos segundos se sobrecogió, cuando notó que un brazo la agarraba de la cintura al tiempo que otro cruzaba sobre su cuello. Emitió un grito que quedó ahogado en su propia sorpresa porque aún no sabía quién la retenía. Se sintió aprisionada en un instante y el sobresalto le hizo lamentar por un momento que su padre no la hubiera acompañado. Intentó pegar un codazo, incluso una patada, pero la persona que la estaba reteniendo era fuerte y ni siquiera le permitía girarse.

Notó que una cuerda se deslizaba cerca de su cintura y, de pronto, una mano aprisionó sus brazos para rodearlos con la cinta y dejarlos atados a su espalda por las muñecas. Intentó girarse de nuevo y ver quién era su agresor, pero un pañuelo cruzó ante su faz y notó que de pronto perdía toda la visibilidad. Habían vendado sus ojos y eso la puso aún más nerviosa. Empezó a gritar con la esperanza de que alguien la escuchara y pudiera socorrerla, pero no se había cruzado con nadie por el camino e imaginaba que la mayoría de hombres del pueblo estarían, en aquellos momentos, dirigiéndose al cementerio para el entierro del señor Hubert.

Sus gritos sólo consiguieron que el agresor le tapara la boca con violencia, pero ella no se amedrentó y le mordió la mano con tal virulencia que, aunque él no se quejó, por su reacción, pues la apartó de inmediato, notó que le había hecho daño. Pero como ella volvió a aprovechar para pedir ayuda con chillidos no siempre bien articulados, inmediatamente él la amordazó. Todo estaba ocurriendo tan deprisa que ella sólo iba tomando conciencia de lo que ya había sucedido cuando era demasiado tarde. El hecho de que aquel tipo fuera tan bien provisto de artilugios para retenerla y del trabajo que se había tomado para llevar la trilladora hasta allí no le dejaba ninguna duda de que estaba esperando a una víctima.

Sin embargo, ignoraba sus intenciones. En ese momento de dudas, sintió que su cuerpo se elevaba porque los brazos del desconocido la levantaron de un modo indecoroso. Notó que él avanzaba y la condujo así durante unos pasos hasta que Tess comprobó que la colocaba a lomos de un caballo. Si hasta ese momento había sentido la necesidad de recuperar la bicicleta, ahora se olvidó de todo y se limitó a sentir miedo. Mientras estuviera en las cercanías de Horston, estaba segura de que la encontrarían, pero si se alejaba de allí, su salvación ya no era tan probable.

Pataleó para evitar que se la llevaran, pero sus movimientos no sirvieron de nada.

De pronto, sospechó que no era una casualidad que la secuestraran precisamente a ella y deseaba que el motivo de esa agresión fuera el de pedir dinero a su padre. Cualquier otra posibilidad la asustaba demasiado como para dedicarle un pensamiento. Un asaltante de caminos se hubiera limitado a arrebatarle todas sus joyas pero, de momento, ella continuaba con los pendientes de perlas que habían sido de su madre y el colgante de oro en su poder.

Cuando notó que el agresor se disponía también a subir al caballo, oyó un disparo lejano que, en lugar de tranquilizarla, la asustó aún más. Instintivamente se tumbó sobre el animal y procuró hundir la cabeza en su pelaje. El bandido también montó sobre el caballo, empujándola hacia delante sin ninguna delicadeza. Sonó otro disparo, esta vez más cercano, y Tess se sujetó al cuello del animal sabiendo que su secuestrador se alejaría a toda prisa en cuanto agarrara las riendas. Sin embargo, pasaron unos segundos y no intentó huir, aunque el caballo se movió primero un paso adelante y, a continuación, otro hacia atrás.

De repente, se oyó una voz que gritaba:

—¡Suéltela, maldito bastardo!

Tess apretó los ojos, a pesar de tenerlos vendados, como agradeciendo que alguien interviniera en su defensa. Deseó con todas sus fuerzas que el desconocido desistiera de sus intenciones y, sorprendentemente, notó que la ayudaba a descender y la depositaba, esta vez con cuidado, en el suelo. Luego, oyó cómo se alejaba el caballo en el que había estado montada. Meneó las muñecas a fin de intentar zafarse de las cuerdas, pero no lo logró.

Un grito la hizo quedarse quieta.

—¡Señorita Gardner! ¿Se encuentra usted bien?

Ahora reconoció la voz del señor Courtenay y, por primera vez, se alegró de su presencia. No pudo contestar porque la mordaza se lo impedía, pero procuró girarse hacia el lugar en el que, según intuía, se encontraba su pretendiente. Permaneció quieta, mientras escuchaba que él desmontaba y se dirigía hacia ella. Luego, sintió los ojos libres y se giró hacia la zona arbolada para ver si quedaba rastro de su agresor. Pero no distinguió a nadie y se sorprendió de la velocidad de un jinete que al principio había considerado torpe.

—Ha tenido usted suerte de que apareciera en este preciso momento —comentó el señor Courtenay.

En cuanto él le quitó la mordaza, ella le agradeció su intervención. Después, permitió que la liberara de la cuerda que ataba sus manos y sólo entonces volvió a sentir el vértigo de lo que pudo haber pasado.

—No debería andar sola —la reprendió el señor Courtenay.

—Hasta ahora nunca había pasado nada... —se justificó—. Me ha dado la sensación de que ese hombre me estaba esperando. Ha colocado esa trilladora y no ha tocado mis joyas. Probablemente conozca a mi padre y lo que buscaba era un rescate. ¿Lo ha reconocido?

—No, llevaba un sombrero que le tapaba los ojos. Además, yo estaba lejos, pero puedo decir que no lo había visto nunca.

—Si no lo ha visto bien, no podemos descartar a nadie. Sin duda, era un hombre fuerte y alto.

—Es posible. Pero no debe preocuparse por nada. Yo estaré a su lado siempre para protegerla.

Tess arqueó una ceja sorprendida por la arrogancia, pero no hizo ningún comentario mordaz porque se sentía benevolente con su salvador.

—Es una suerte que usted llevara una pistola.

—Siempre voy armado. Uno nunca sabe qué puede ocurrir. Además, hay animales peligrosos.

—¿Se refiere a las ovejas o a las cabras? —Esta vez no pudo evitar la ironía, aunque se arrepintió enseguida. Pero lo cierto era que no recordaba haber visto nunca armado al señor Courtenay.

Cuando se disponía a recoger la bicicleta, el señor Courtenay se anticipó y la ayudó a bordear la trilladora. Luego regresó para recoger su caballo y también bordeó el camino para llegar hasta ella.

—Espero que, al menos en un momento como este, me permita acompañarla hasta el pueblo. Yo me dirijo al entierro.

V

Caminaban uno al lado del otro y, mientras Tess empujaba la bicicleta, el señor Courtenay tiraba de las riendas de su caballo. Si no se hubiera sentido tan impresionada por lo ocurrido, hubiera alegado alguna excusa, pero debía reconocer que en aquel momento deseaba su compañía, cualquier compañía, pues su corazón aún latía impresionado. Él la escoltó hasta el pueblo y, durante todo el trayecto, procuró darle conversación, aunque Tess respondía con monosílabos. El señor Courtenay apenas mencionaba el incidente y no se lo veía nervioso, algo que no dejó de sorprender a la joven, que lo tenía por una persona más pusilánime.

Sin embargo, ella no se había recuperado aún del impacto que le había causado el suceso y no dejaba de pensar en quién podría haber intentado algo así y qué habría podido ocurrir de no haber intervenido su acompañante. Por un momento sospechó del forastero, pues a todas luces se notaba que necesitaba dinero y sabía que ella era la hija de un importante hostelero. Y era un hombre alto. Pero también era alto Nicholas Wayne, el dueño de la herrería, quien últimamente la observaba mucho y de forma intensa y extraña.

En esos momentos recordó que, hacía dos años, su padre había encargado los arreglos de hierro de Maple Path a una forja de

Sunday Creek y se preguntó si Nicholas Wayne habría querido vengarse por ello. No le pareció un motivo de peso, pero el hecho de haberse sentido observada por él durante los últimos meses hizo que la sospecha se afianzara en su mente. También especuló, en la maraña de pensamientos confundidos que la sobrecogían, sobre por qué su padre no había hecho el encargo a la herrería local en lugar de realizarlo en otro pueblo y eso le hizo pensar que tal vez existiera alguna animadversión entre ambos. Que ella recordara, nunca habían tenido relación con el señor Wayne. Pero su padre no era hombre que confiara en ella para esas cuestiones.

—¿Le parece bien? –le preguntó el señor Courtenay sacándola de su abstracción.

Tess se dio cuenta de que él llevaba un rato hablando sin que ella lo hubiera escuchado y fingió una sonrisa.

—¿Perdón? –preguntó sin remordimientos.

—Le decía que puede esperarme en la biblioteca y yo pasaré a buscarla en cuanto termine el entierro. Así no correrá ningún peligro durante el regreso.

—Llevo la bicicleta. Y ahora mismo me dirigiré a la comisaría de Policía para denunciar el suceso y encargar que retiren la trilladora. –Pero como vio que el señor Courtenay pensaba insistir, añadió–: Estaré bien. Si, como dice usted, no se trata de nadie del pueblo, seguro que ya habrá escapado a otro lugar.

—No creo que sea conveniente. Además, usted estará no sólo más segura, sino también más tranquila en mi compañía.

—No insista, señor Courtenay. No puedo pasarme la vida dependiendo de los demás –respondió a su pesar, pues le hubiera gustado no regresar sola, pero no quería dar esperanzas a ese hombre ni que confundiera su momentánea debilidad con un agradecimiento sincero.

—Pero cuando se case, dependerá de su marido.

—No tengo ninguna intención de depender de nadie. Es mejor que lo entienda y no sea tan insistente. Gracias por lo que ha hecho. Le deseo un buen día –dijo al tiempo que montaba en su bicicleta y comenzaba a dirigirse hacia el centro, mientras él tomaba el camino que conducía a la iglesia. El orgullo, una vez más, se impuso a sus miedos.

Pero en lugar de encaminarse a la comisaría, Tess giró en la primera calle en dirección a la herrería. Quería comprobar que Nicholas Wayne se hallaba allí. La sensación de que aquel hombre tenía algo que ver con el ataque se iba haciendo cada vez más fuerte. Cuando llegó, encontró a uno de los empleados y preguntó por el dueño.

—Ha ido al entierro del señor Hubert —le dijeron.

—Gracias —respondió sin que ello apartara sus dudas. En realidad, Nicholas Wayne había tenido tiempo de atacarla y luego acudir al entierro como si no hubiera pasado nada. Seguía sin poder descartarlo. Ni acusarlo.

En cuanto hablara con su padre, trataría de averiguar si el señor Wayne era inocente o tenía algún motivo de revancha. Cada vez estaba más convencida de que algo había ocurrido entre ambos, pues no se explicaba por qué nunca lo había contratado para los arreglos del hotel. Pero, por el momento, prefirió callar.

Se dirigió hacia la comisaría, todavía ensimismada en sus sensaciones, sin saludar a unas conocidas que paseaban porque no tenía ojos más que para recrear una y otra vez las últimas imágenes que vio antes de que se los taparan.

Una vez en comisaría, refirió todos los hechos con determinación, más que como una denuncia, como una exigencia de que el agravio fuese reparado. Sin embargo, no añadió que tuviera sospechas sobre Nicholas Wayne porque nada podía avalarlas.

El policía que tomaba nota, preguntó:

—¿Alto y fuerte?

—Sí, es lo único que puedo saber. Ya le he dicho que me colocó una venda en los ojos.

—¿Y el señor Courtenay no lo reconoció?

—No, se encontraba lejos y el agresor llevaba un sombrero que le cubría medio rostro.

—Bien, enviaremos a alguien inmediatamente a retirar cualquier cosa que obstaculice el paso. Probablemente, el dueño de la trilladora no sepa nada. De momento, sea prudente y procure no andar sola. No sabemos si ese hombre la atacó porque usted era la que pasaba por allí en esos momentos o si su intención era directamente contra usted. De tratarse del segundo supuesto, es probable que vuelva a intentarlo.

—¿Por qué? No lo entiendo.

—Puede haber muchos motivos. Un pretendiente despechado, la solicitud de un rescate, una venganza contra su padre...

—¿Una venganza contra mi padre? ¿Quién tiene algo contra él?

—El carácter de su padre no es precisamente conciliador. Ya fue sospechoso de un crimen en una ocasión.

—Tengo entendido que eso fue hace más de veinte años. Y resultó inocente —protestó, más que con intención de defender a su padre, con la de centrar las investigaciones de la policía en algo más sólido—. Aquello sólo fueron chismorreos de la señorita Whittemore.

—Si el señor Price estuviera vivo, sospecharíamos de él —comentó el comisario haciendo caso omiso de sus palabras—. Pero él y su esposa murieron y ninguna de sus hijas reside aquí, únicamente una hermana de él, y es muy mayor.

—Yo descartaría a esa señora.

—Debo reconocer que, a pesar de su edad, aún tiene carácter. Ayer no hacía más que poner pegas a que cambiaran la tumba de su hermano.

Tess sabía que su padre había sido amante de una de las hijas de los Price y que ese había sido el motivo por el que su madre lo había abandonado. Así que prefirió no ahondar en el tema y, viendo que la policía no iba a suponer una gran ayuda, se levantó. Sin embargo, antes de irse, recordó algo que le pareció relevante:

—Lo mordí en una mano —dijo ya en la puerta—. Es posible que le haya quedado señal. Fue la mano izquierda, entre el pulgar y el índice.

—Gracias, lo tendremos en cuenta. Y también entrevistaremos al señor Courtenay, por si recuerda algo más. Confíe en nosotros. Buenos días, señorita Gardner.

—Buenos días —respondió al tiempo que se levantaba insatisfecha de la silla y se disponía a salir.

A continuación, fue a la biblioteca a hacer el recado para la señora Harper y, de paso, cogió el libro *Philippe Derblay* para ella misma. Aunque cuando lo tuvo en las manos, dudó un momento sobre si seguir leyendo más libros de temática amorosa como los que le recomendaba Maud. Temió que las ideas románticas pudieran nublar su determinación de acceder a un matrimonio sin amor y que acabaran convirtiéndose en un obstáculo a la hora de marcharse a Australia. A pesar de esas reticencias, descartó que ella fuera una presa fácil para la debilidad y finalmente decidió quedárselo. Al salir, lo colocó en la cesta de la bicicleta, junto con el de la señora Harper, y los anudó para que no cayeran.

Como pensaba que la policía aún no habría retirado la trilladora, se acercó a visitar a la señora Southgate y a su hija, pero una criada le dijo que habían salido. Con la única intención de que pasara el tiempo a fin de que el camino quedara despejado, se dirigió a la Holstead's Gallery y pasó más de media hora contemplando la exposición de insectos exóticos que se encontraba allí y por la que Horston recibía turistas sólo para visitarla. Los insectos estaban catalogados según su procedencia, y no su especie o familia, y también había expuestos mapas de los lugares y fotografías de los animales vivos.

Salió de allí tan inquieta como había entrado. La visión de aquellos bichos no la ayudó a tranquilizarse ni a olvidarse de lo que acababa de ocurrir. Lo cierto era que su secuestrador no la había lastimado pero, de vez en cuando, se contemplaba las muñecas como si quisiera cerciorarse de que ya no las tenía amarradas. Se sentía indignada ante el hecho de que no hubieran respetado su libertad.

En esta ocasión, regresó al hotel observando con detalle cuanto ocurría por el camino. No quería que volvieran a sorprenderla. Cuando llegó al lugar donde se encontraba la trilladora, se tranquilizó. Allí había dos policías y la trilladora ya había sido apartada del camino, aunque aún no la habían retirado.

—Ahora inspeccionaremos la zona —le comentó uno de ellos en cuanto la vio, pero Tess sabía que a esas alturas ya no encontrarían ni rastro de su agresor.

Prosiguió su camino y, cuando llegó al hotel, no supo por qué, sintió la necesidad de darse un baño. Quería desprenderse de cualquier sensación de apresamiento que pudiera quedar sobre su piel, así que subió a sus aposentos antes de hablar con nadie y se ocupó ella misma de calentar el agua.

Cuando por fin se sintió más relajada, salió de la bañera y, tras vestirse, se dejó caer sobre la cama. Su cabeza continuaba siendo un foco de imágenes de lo ocurrido, pero ahora perdían nitidez y se difuminaban como en la vaguedad de un sueño.

Poco antes de la hora del almuerzo, alguien aporreó su habitación y la sacó bruscamente de su letargo.

—¡Tess! ¡Tess! ¿Estás bien? —preguntaba su padre al otro lado de la puerta.

Ella se levantó de golpe y abrió dispuesta a escuchar sus lamentos, pues supuso que el señor Courtenay le habría informado durante el entierro del señor Hubert de lo ocurrido en el camino. Se avecinaba tormenta.

—¡Por el amor de Dios, Tess! ¡Dime que estás bien! —exclamó nada más entrar, observando a su hija de arriba abajo como si en ella pudiera encontrar algún rastro del incidente.

—Por supuesto que estoy bien, sólo ha sido un susto.

—Si no llega a ser por el señor Courtenay, no sé qué habría podido pasar. Deberías estarle muy agradecida por su valor.

—Y le estoy agradecida, padre. Pero estoy bien, no dramatice.

—¿Sólo agradecida?

—¿Qué quiere decir? —preguntó ella, irritada por esa insinuación.

—¿Qué más tiene que ocurrir para que te cases con él? ¡Ha arriesgado su vida por ti!

—Eso es demasiado decir, padre. El señor Courtenay iba armado. Y no es que ese tipo fuera muy buen jinete —respondió, recordando que su secuestrador no había huido al oír el primer disparo, sino que el caballo había vacilado antes de partir y eso había permitido que el señor Courtenay se acercara.

—¡No me puedo creer que seas tan ingrata! Ahora no tienes excusas para rechazarlo. ¡Hoy mismo puedes escribir a tu señor Farrell y advertirle de que ya estás comprometida!

—¡Oh! ¿Así se preocupa usted por mí? ¿Sólo piensa en sacar beneficio de mi desgracia? ¿No va a preguntarme cómo estoy, cómo me siento?

—¿Desgracia? ¡No ha habido ninguna desgracia precisamente por la intervención del señor Courtenay!

—¡Mucho insiste usted en recordármelo!

—No puedes negar que le debes tu integridad —insistió.

—¡Pero eso no me compromete con él! —protestó a su vez ella.

—Tess, no me hagas enfadar —comentó el señor Gardner, bajando la voz e intentado dar una apariencia de tranquilidad.

—Pues usted no insista siempre con lo mismo.

—Al menos, prométeme que, si esta noche te invita a bailar, serás amable con él.

—Claro que seré amable con él. Se ha portado bien, pero de ahí a pensar que le debo mi libertad...

—¡Tu libertad! ¿Y crees que vas a encontrar algún tipo de libertad en Australia? —se burló con sarcasmo, pues anteriormente aquel país había sido considerado una cárcel para cualquier británico.

—Eso es asunto mío. Ya soy mayor de edad para disponer de mi futuro como desee.

El señor Gardner emitió un sonido parecido a un gruñido y, luego, desistió de seguir discutiendo. Al fin y al cabo, su hija le había prometido ser amable con el señor Courtenay y eso ya era un gran avance. Con esa pequeña satisfacción, se disponía a salir pero, antes de que se marchara, Tess le preguntó:

—¿El señor Wayne estaba en la comitiva del entierro?

—¿Por qué me preguntas por Wayne? —respondió a su vez con otra interrogación el señor Gardner, visiblemente sorprendido por esa cuestión.

—Por curiosidad. —Fingió.

—¡No me he fijado! —respondió el señor Gardner, todavía desconcertado por la pregunta, pero con notables ganas de zanjar el asunto.

Y, no supo por qué, a Tess le dio la impresión de que su padre mentía. Esa sensación la silenció unos instantes y, cuando quiso preguntarle algo más, su padre ya se había marchado.

Diez minutos después, ambos almorzaban en el salón principal con unos huéspedes y eso evitó que la discusión se repitiera, sobre todo porque su padre le había pedido que no contara nada de su incidente con el fin de no asustar a la clientela. Si se sabía que en Horston había bandidos, los turistas no se acercarían al lugar. Esas noticias se propagaban muy deprisa en Inglaterra.

Por la tarde, Tess dio un pequeño paseo por las zonas ajardinadas del hotel, procurando en todo momento que hubiera alguien conocido cerca, aunque se negaba a sí misma que tuviera miedo de que se repitiese el asalto. Luego, subió a su habitación a empezar la lectura de su nuevo libro antes de arreglarse para la maldita cena.

Ya en casa del señor Courtenay, aprovechó el aperitivo para acercarse a su amiga Maud y contarle lo ocurrido aquella mañana. Cuando vio que ella se asustaba al escuchar la narración de su secuestro, Tess le pidió que disimulara y guardara la confidencialidad del asunto. Si trascendía, alguien podía pensar que la ofensa había sido más grave que la real. Y los cotilleos se multiplicarían hasta convertir la historia en un agravio irreparable.

Durante la cena, Tess tuvo que aceptar sentarse al lado del señor Courtenay y responder con amabilidad a todas sus deferencias. Maud la miraba sorprendida y su rostro fue muy elocuente al ver que Tess aceptaba sin rechistar la propuesta de baile que le hacía el dueño de la casa mientras el señor Gardner sonreía complacido.

Tras el vals, Maud los vio desaparecer hacia las terrazas y continuó sin dar crédito a la actitud condescendiente de su amiga. ¿Habría cambiado de idea con respecto al señor Farrell? ¿Se sentía tan agradecida al señor Courtenay que estaba dispuesta a acceder a sus deseos?

Sin embargo, cinco minutos después, cuando Tess regresó del balcón con el señor Courtenay, la expresión de este último delataba que no todo había salido tal como tenía previsto.

Maud notó que él y Tess no volvieron a hablarse durante el resto de velada y, cuando el señor Gardner se acercó al señor Courtenay, este se limitó a cruzar unas palabras con él y el padre de Tess se sintió contrariado ante ellas. Luego, se dirigió a su hija y Maud pudo escuchar que le reprochaba:

—¡Una cosa es que hayas rechazado al señor Courtenay y otra que lo hayas hecho en términos impropios!

—Era el único modo de disuadirle, padre, se negaba a aceptar un no por respuesta —respondió ella con fingido tono meloso.

Y esta fue la última ocasión en que Maud vio a su amiga aquella noche, pues el señor Gardner agarró a su hija del brazo y ambos abandonaron el lugar sin despedirse de nadie.

VI

❧❦❧

Al día siguiente, satisfecha porque pensaba que su contundencia al rechazar al señor Courtenay le aseguraba unos próximos días de paz, Tess le contaba, durante el desayuno, todo lo ocurrido a la señora Young.

—Su padre estaba muy enfurecido esta mañana. No me he atrevido a preguntar —comentaba la mujer mientras cortaba tres lonchas de jamón.

—Por favor, con una es suficiente. Ayer la cena no fue precisamente frugal —le pidió Tess.

Ella retiró sólo una de las lonchas del plato y, luego, se lo sirvió sin permitirle protestar.

—¿En serio se atrevió a decirle eso? —le preguntó entre divertida y horrorizada.

—¿Y qué quería que hiciera? Yo ya lo había rechazado y él insistía e insistía… No me quedó más opción que la contundencia —se justificó.

—Yo casi diría la ofensa —matizó la encargada de cocina—. La próxima vez que alguien la secuestre, seguro que se lo pensará dos veces antes de salvarla.

De pronto, Tess recordó una de las dudas que desde el día anterior le inquietaban y preguntó:

—Señora Young, ¿usted sabe por qué mi padre no tiene ningún trato con el señor Wayne?

—¿Por qué me pregunta eso? –dijo algo alarmada la encargada de cocina, aunque enseguida procuró ocultar su estado de alerta.

—Porque resulta extraño que, habiendo aquí una herrería, mi padre decidiera contratar las obras de Maple Path a la de otro pueblo.

—¿Por qué piensa en eso ahora?

La señora Young comenzó a frotarse las manos compulsivamente con el primer trapo que cogió, pero Tess no se dio cuenta.

—Porque el señor Wayne últimamente me observa mucho y no descarto que fuera él quien intentara secuestrarme.

—¿Secuestrarla el señor Wayne? –Los ojos se le dilataron y con una mano apretó el trapo y cerró el puño.

—Sí, eso he dicho. Pero usted no ha respondido a mi pregunta. ¿Hay alguna rencilla entre mi padre y él? ¿Algo que deba saber que ocurriera en el pasado?

—No sé a qué se refiere.

—Creo que me he expresado con claridad y, por su expresión, deduzco que sí existe alguna desavenencia que usted conoce –le reprochó.

—Nunca he hecho caso a los rumores –respondió la señora Young, arrojando, más que dejando, el trapo sobre la mesa.

—¿Qué tipo de rumores?

—Los rumores son sólo rumores, no hay que tenerlos en consideración.

—De este modo, únicamente está reafirmando mis sospechas, señora Young. Es mejor que me cuente lo que se dice.

—No hay nada que contar. El señor Gardner y el señor Wayne nunca han tenido relación. Probablemente su padre encargó los trabajos a otro herrero por una cuestión de precio o por su fama en buenos acabados –respondió dándole la espalda, como si quisiera zanjar la discusión.

Tess, que no estaba dispuesta a rendirse, le recordó:

—Pero usted ha dicho que existen rumores…

—Eso lo ha dicho usted –intentó sentenciar la señora Young.

La joven hizo un gesto de desesperación y añadió:

—No me deja usted otro remedio que averiguarlo por mi cuenta. Seguro que alguna chafardera de Horston está por la labor de informarme.

La amenaza implícita quedó latente entre ambas y la señora Young volvió a girarse hacia Tess y la advirtió:

—Ni se le ocurra acercarse a la señorita Whittemore con esas intenciones. Esa mujer es muy novelesca. Si fuera verdad todo lo que dice, le aseguro que cada vecino de Horston hubiera protagonizado más de una columna de periódico y nuestro pueblo sería conocido por sus escándalos.

—Yo creo que debemos estar agradecidos a la señorita Whittemore. Antes de la temporada de Ascot, siempre tenemos el hotel lleno porque muchas mujeres quieren comprar sus sombreros. Nunca he entendido su éxito pero, sin duda, nos beneficia.

La señora Young se relajó al ver que la joven había olvidado su curiosidad por Wayne y aprovechó ese comentario para cambiar de tema.

—No sé en qué le beneficia a usted si piensa dejar Inglaterra y marcharse a Australia.

—Es obvio. Si el negocio funciona, mi padre está de mejor humor —sonrió Tess—. Y por mucho que maldiga contra la señorita Whittemore, debería ordenar que le hicieran un busto y lo pusieran en el hall.

—¡Qué ocurrencia! El sombrero ocuparía demasiado espacio.

—Buenos días, señoras, ¿se encuentra por aquí el señor Gardner? —preguntó un tipo asomado a la puerta de atrás que daba al jardín.

Ambas se sorprendieron con la intrusión y, en cuanto Tess, que había reconocido su voz, se giró y lo vio con un brazo apoyado sobre el quicio de la puerta, tuvo la sospecha de que llevaba un rato allí y había escuchado su conversación. Por mucho que le molestara, no pudo evitar estar de acuerdo con las palabras de Maud: era un hombre de un atractivo irracional, capaz de atrapar la mirada de cualquier mujer y retenerla irremediablemente embriagada. Su cuerpo recio, su mirada

animal, aquella pose de firmeza y determinación provocado-
ras... Pero ella no quería sentirse como cualquier mujer ni
caer presa de pasiones devastadoras, así que no estaba dispuesta a dejarse subyugar por una mera imagen varonil.

—¿Qué quiere? —inquirió sin disimular su desagrado ante
su desfachatez.

—Ya le he dicho que busco a su padre, señorita Gardner
—respondió, mientras la miraba de un modo insondable que
ella consideró descarado.

—Y yo ya le dije que mi padre no busca empleados, señor
Blake. Creo que él mismo se lo confirmó hace poco.

—En aquel momento yo no podía ofrecerle referencias. Le
aseguro que ahora es distinto —respondió entrando en la estancia sin permiso y obviando que no era bien recibido.

La señora Young notó que se encontraba en medio de dos
miradas que se desafiaban entre sí y, nerviosa, agarró un plato
de pastas y se las ofreció al recién llegado.

—Gracias —aceptó él. Cogió una y, a continuación, tranquilamente se sentó a la misma mesa en la que se encontraba Tess.

—No recuerdo haberlo invitado —le reprochó ella.

—Su amiga acaba de hacerlo —dijo él mientras observaba a
la señora Young como si la retara a que lo desmintiera.

—Nunca negamos comida a los necesitados —contestó Tess
con intención de ofenderlo—. Pero no se haga ilusiones.

—¿Prefiere café o té? —preguntó la señora Young inmediatamente, que no se sentía cómoda con esa tensión que se había
creado, aunque por la mirada que recibió de la joven, supo
enseguida que no había obrado bien.

—Gracias, amable mujer —respondió Blake obviando las
palabras de Tess y reclinándose en la silla—. Cualquier cosa me
vendrá bien.

—El señor Gardner no está aquí en estos momentos, pero
no creo que tarde —le informó la encargada de cocina.

—Estoy convencida de que mi padre no tiene nada más que
añadir a su primera negativa —insistió Tess.

—Por lo que tengo entendido, la opinión de su padre y la
suya no siempre coinciden.

—¿Ha estado espiándonos? —preguntó enojada Tess.

Él alargó un brazo para coger el azucarero y se sirvió un par de cucharadas en el café. Luego, levantó la mirada y dijo visiblemente divertido:

—No me ha parecido de buena educación interrumpirlas.

—¿Y qué es exactamente lo que ha oído? –le exigió ella elevando la voz.

—Que ayer el señor Courtenay tuvo un día de suerte –se burló él.

Ella no contestó. Se limitó a apurar su té con leche y se levantó de la mesa con ganas de perderlo de vista.

—Disfrute de su desayuno, señor Blake, es todo lo que sacará de nosotros. No lo olvide –le dijo irritada.

Él no contestó, sino que se limitó a sonreír y a observarla de arriba abajo de una forma insolente.

Ella le dio la espalda y salió de la estancia. No estaba dispuesta a soportar más desaires. Subió a su habitación en busca del sombrero y los guantes y cogió una navaja que guardaba en un cajón, que introdujo en su bota izquierda. Luego, con ansias de alejarse de allí, emprendió el camino hacia el pueblo, esta vez andando.

Avanzaba de prisa, pero el ejercicio no lograba mejorarle el humor. Sentía la mirada impertinente de Blake clavada como una astilla que proporcionaba un dolor desproporcionado a su tamaño. Acostumbrada a la relación con su padre, normalmente las palabras ajenas no lograban afectarle tanto como había ocurrido hacía un rato. Y notaba, molesta consigo misma, el eco de unas sensaciones vehementes golpeando una y otra vez contra su orgullo.

Le hubiera gustado ver la cara de ese hombre cuando su padre volviera a negarle un empleo, pero no valía la pena soportar su presencia sólo por un instante de placer.

Intentaba disciplinarse para pensar en Nicholas Wayne y averiguar si había tenido algo que ver en su intento de secuestro, pero la burla tenaz que aún veía en la expresión de Blake se lo impedía. Cuando llegó al punto del camino en que el día anterior había ocurrido el incidente, tomó conciencia de que ni siquiera había caminado alerta de que nadie la sorprendiera.

En ese instante, pasó por su cabeza la idea de que la hubiera secuestrado Blake en lugar de Wayne y sintió que un escalofrío le recorría el cuerpo. Contra su propósito, recordó aquel brazo rodeando su cintura y el momento en que la alzó y la pegó a su cuerpo para llevarla hasta el caballo. Las sensaciones que ahora la abrumaron fueron muy distintas a las del día anterior y, si hubiera sido sincera consigo misma, habría descubierto que había cierta complacencia en la inescrutable emoción que le producía ese pensamiento.

Cuando sus palpitaciones se relajaron, descartó la posibilidad de que Blake fuera el autor, más que nada porque una corazonada continuaba indicándole que Wayne actuaba de forma extraña ante ella. Estuvo tentada de ir de nuevo a la herrería, pero no encontró un pretexto que lo justificara y continuó su camino.

Llegó a casa de los Southgate y preguntó por Maud, todavía agitada por el encuentro con Blake. Deseaba que, a su regreso, ese hombre ya se hubiera marchado. O eso era, al menos, lo que se decía a sí misma.

La señora Southgate le dijo que de inmediato avisaba a su hija y la hizo pasar al salón. El señor Southgate se encontraba allí leyendo, pero enseguida abandonó el periódico y se levantó a saludarla.

—Buenos días, Tess. Ayer se marchó muy temprano de la velada del señor Courtenay.

Tess notó que el padre de su amiga no sabía nada del incidente y en silencio agradeció la discreción de Maud.

—Yo estaba cansada y mi padre tenía que resolver unos asuntos esta mañana.

—Espero que nada grave.

—Nada grave, gracias. Pero la muerte del señor Hubert lo ha obligado a cambiar de proveedor. Por cierto, dicen que el entierro fue numeroso.

—Igual que el funeral, era un hombre muy querido. Todos los varones de Horston acudimos a despedirlo.

—Sí, incluso muchos dejaron su actividad pendiente. Pasé por la herrería para arreglar un eje de mi bicicleta y el señor Wayne también había acudido al entierro.

—Lamento esa incomodidad. Una bicicleta averiada es un trasto inútil.

Tess se sintió decepcionada porque él no hiciera ningún comentario sobre Wayne, pero al cabo de unos segundos la suerte la favoreció. Tras un momento en que quedó pensativo, el señor Southgate añadió:

—Es cierto que el señor Wayne también estaba, aunque creo recordar que llegó tarde. ¿No pudo atenderla alguno de sus empleados?

Tess aumentó el grado de su sospecha al oír eso. Su agresor iba a caballo y bien podría haber huido e incorporarse a la comitiva del entierro poco después.

—Estaban ocupados y no quise molestarlos —respondió.

Afortunadamente, el señor Southgate cambió de tema.

—Su padre me comentó algo respecto al señor Stevens.

—Sí, probablemente se convierta en nuestro próximo proveedor. Su carne tiene buena fama.

—¡Tess! —exclamó Maud, que acababa de entrar en el salón—. Me alegro de que hayas venido. Ayer me quedé con unas insufribles ganas de hablar contigo. Vamos —dijo al tiempo que la agarraba del brazo—, hace buen día para pasear.

Tess se despidió del señor Southgate y se dejó arrastrar por su amiga. Una vez fuera, ella no tardó en preguntarle:

—Se te declaró el señor Courtenay, ¿no es cierto? Y tú lo rechazaste, ¿verdad, Tess?

—Sí, sí, no seas tan ansiosa. Eso es lo que ocurrió, pensé que todo había sucedido más discretamente.

—Estuve todo el rato pendiente de ti. Al principio, me sorprendió que no trataras de evitar sentarte a su lado pero, afortunadamente, eso precipitó su declaración. Y, ahora, todo será más cómodo para ti. ¡Oh, Tess! ¡Cuántas cosas te han pasado y qué pocas me cuentas!

—Pero si las estás contando tú por mí… —le recriminó—. Yo también espero que ahora todo sea más tranquilo, aunque mi padre estará insufrible.

—Supongo que estará nervioso por el intento de secuestro.

Tess dudó un momento antes de responder.

—Lo cierto es que ha reaccionado peor a mi rechazo que al incidente. No lo he visto preocupado, como si confiara en que no volverá a pasar. Ni siquiera me ha pedido que sea prudente en mis paseos.

—Debe ser una sensación tuya. No creo que ningún padre pueda estar tranquilo después de algo así.

—Cuando lo supo, parecía más interesado en que me mostrara agradecida ante el señor Courtenay que en el propio suceso —dijo, también como si lo hiciera para sí misma.

—¿La policía ha averiguado algo?

—No me han dicho nada. Por el momento, en este tema no hay nada que añadir a lo que te conté ayer, Maud. Tal vez nunca sepa quién lo hizo. Espero que sean discretos, no quiero que haya cotilleos sobre lo que pudo haber pasado.

—¿No has pensado que pueda ser el forastero? ¿Sabes lo que dice la señorita Whittemore de él?

VII

⚮

Tess la contempló, esperando a que continuara, y Maud añadió:

—¿Recuerdas que el mes pasado descubrieron en Londres dos cadáveres más de mujeres destripadas?

Tess asintió.

—Pues la señorita Whittemore dice que ha oído que el señor Blake tuvo problemas con la justicia y por eso ha dejado la capital —continuó Maud—. Insinúa que tiene que ver con el tema de los asesinatos.

—No me extraña que ese tipo haya tenido problemas con la justicia, pero de ahí a concluir que sea el asesino de prostitutas de Whitechapel hay mucha distancia —se burló—. Hacía tiempo que la señorita Whittemore no nos entretenía con algo así.

—Ya son cuatro las mujeres asesinadas y Scotland Yard está tras la pista. Es normal que el asesino desee abandonar Londres. Y el señor Blake viene de Londres.

—¿En serio piensas que el señor Blake pensaba destriparme? —preguntó, asombrada, Tess.

Callaron un momento mientras se cruzaban con el señor Seymour, a quien devolvieron el saludo cordial que él les dedicó. Cuando volvieron a sentirse en la confianza de la intimidad, Maud respondió:

—No, claro que no. Sólo te comento lo que ha dicho June Whittemore. Soy muy consciente de que le gusta hablar más de la cuenta y, a veces, tiene ideas tan excéntricas como sus sombreros.

—No entiendo cómo pueden gustar tanto sus sombreros.

Maud se encogió de hombros, como si le diera la razón en este punto, y luego añadió:

—¿A que no adivinas lo que he sabido de ella?

—¿La reina Victoria piensa comprarle alguno?

—No me extrañaría, pero no se trata de eso, sino de algo que ocurrió hace más de veinte años. Antes de que Polly fuera la ayudante del señor Honycutt, en la oficina de Correos trabajaba otra mujer.

—¿Qué tiene que ver eso con la señorita Whittemore?

—La señorita Whittemore estaba compinchada con ella para que le pasara el contenido de todos los telegramas que se emitían o recibían en Horston. Cuando el señor Honycutt lo supo, la despidió.

—¡Qué peligro para todos aquellos que tuvieran algún secreto que guardar! ¡Esa mujer no tiene límites! —exclamó Tess con cierta alarma, pero a continuación preguntó—: ¿Qué interés tendría la empleada en exponerse a que la echaran?

—Un interés económico, por supuesto. La señorita Whittemore le pagaba por cada telegrama. ¿Te lo puedes creer?

—¡Es inaudito!

—Después de eso, el señor Honycutt decidió contratar como ayudante a alguien que no supiera leer.

—Por eso Polly nunca ha mostrado interés cuando yo me he ofrecido a enseñarle... —recordó.

—Si supiera leer, perdería su trabajo. El señor Honycutt es muy desconfiado —hizo una pausa y añadió—: Yo creo que lo hace por celos.

—¿Crees que el señor Honycutt tiene celos de Polly? —se sorprendió Tess.

Maud rio ante el malentendido.

—¡No! Me refiero a que la señorita Whittemore está celosa de cualquier mujer que mira a Blake. Por eso debe de haber extendido el rumor, para que el resto de mujeres no se acerquen a él. Debe de quererlo para ella sola.

—Eso es muy perverso, Maud. Además, no creo que el señor Blake se quede mucho tiempo aquí. Por lo visto, ya no trabaja para la señora Mitchell y está buscando desesperadamente un empleo.

—Lo sé. Cuando me decidí a visitarla, él ya se había ido —se lamentó—. Resolvió en un día el asunto de la chimenea.

—No pensé que te atrevieras —dijo mientras le dedicaba una mirada censora, pero enseguida añadió con una sonrisa forzada—: Esta mañana ha venido por segunda vez a pedirle trabajo a mi padre. Va apañado si piensa que vamos a contratarlo.

—¡Oh! ¡Eso sería estupendo! Piensa en todas las damas que se apuntarían a cenar a tu hotel sólo para verlo. El restaurante se llenaría de reservas, te lo aseguro.

Tess hizo un hizo un gesto de rechazo ante esa idea y decidió cambiar de tema.

—Ya tengo el libro que me recomendaste. Me está gustando, tal vez le proponga a la señora Odell que lo incluyamos en el club cuando terminemos Emma.

Continuaron paseando y hablando hasta llegar a los jardines de Seedon Park, donde encontraron a unos conocidos y se incorporaron al grupo. Tess se sintió aliviada por no volver a hablar del forastero.

Era aquel un día soleado de otoño con una temperatura inauditamente agradable y la mayoría de vecinos aprovechaba para pasear al aire libre.

Seedon Park había sido un gran parque muchos años atrás, pero, desde que habían ocupado parte de sus terrenos para construir la estación de ferrocarril, su extensión se había visto menguada y ahora se había convertido en una explanada con pequeños jardines. En ellos se cultivaban flores exóticas traídas sobre todo de Asia, aunque también había árboles africanos.

Permanecieron allí un rato, haciendo vida social y alternando con otros vecinos, hasta que vieron aparecer a la señorita Whittemore y ambas decidieron marcharse antes de verse obligadas a saludarla.

Una hora después, Tess regresaba al hotel mientras pensaba en las palabras de la señorita Whittemore sobre Blake. No sabía por qué, tenía la sensación de que el asesino de Whitechapel debía ser algo menos llamativo que el forastero, más discreto, alguien a quien resultara difícil recordar, aunque eso no mejoraba sus simpatías hacia el recién llegado. Y tampoco ayudaba el comprobar que su aparición había alborotado a muchas mujeres que consideraba de moral recatada.

Es de suponer, entonces, que no se alegró cuando lo vio arreglando una ventana en un cobertizo que pertenecía al hotel. Sintió que ese descarado se estaba entrometiendo demasiado en su vida e inmediatamente se dirigió hacia él y le dijo en tono de reproche:

—¿Se puede saber qué está haciendo aquí?

—Creí que era lo suficientemente inteligente como para adivinarlo. Pero si es necesario, le diré que estoy ajustando esta contraventana. Por lo visto, golpea cuando hay viento –comentó sin inmutarse.

—No me refiero a eso, sino a su presencia. Pensé que ya habría abandonado el pueblo.

Él detuvo su labor para contemplarla divertido y desafiante a la vez. Tess notó el influjo de su mirada varonil y tembló un momento.

—Pues ya ve que se equivocaba, señorita Gardner –respondió.

—¿Cree que, trabajando gratis, va a convencer a mi padre para que lo contrate? Le recriminó ella con ansias de no dejarse amedrentar por él.

—Veo que la comunicación entre su padre y usted sigue fluida –se burló.

Ella quedó perpleja un instante y, luego, reaccionó.

—¿Quiere decir que mi padre lo ha contratado?

Él le mostró el martillo que llevaba en una mano a modo de respuesta mientras arqueaba las cejas.

En esos momentos, Tess se sobresaltó. No por el gesto irónico de él, sino porque vio en su mano izquierda, la que no llevaba ningún instrumento, una marca entre los dedos pulgar e índice. Automáticamente agarró su mano y se la acercó a los ojos para observarla mejor. En cuanto él entendió su intención, la apartó enseguida, pero ya era tarde, porque Tess no tuvo ninguna duda de que se trataba de la marca de un mordisco.

Antes de que él comprendiera lo que había ocurrido, ella dio media vuelta y empezó a correr en dirección al hotel. Blake no la siguió, aunque poco a poco empezó a adivinar lo que había ocurrido. Tess subió veloz las escaleras de la entrada y entró atropelladamente en el vestíbulo.

—¿Dónde está mi padre? —le preguntó al señor Young, que se encontraba en la recepción.

—Estaba hablando con los señores Milton hace un momento. Creo que iban en dirección al salón.

Tess se dirigió hacia el salón y vio a su padre a punto de sentarse con un matrimonio mayor. Antes de que lo hiciera, se acercó hacia él, lo agarró de un brazo y le ordenó:

—Tenemos que hablar.

—¡Oh, Tess! —se sorprendió—. Esta es mi hija —comentó apurado a sus acompañantes—. Tess, estos son el señor y la señora Milton.

Pero ella no saludó, sino que volvió a insistir.

—Es importante, padre, no puede esperar.

Él notó que ella estaba muy nerviosa. Temiendo que su hija no tuviera pudor en discutir en público, se disculpó ante los huéspedes y la siguió hasta un rincón apartado donde nadie pudiera oírlos.

—¿Qué ocurre? ¡Pareces alterada! —le comentó.

—¡Fue el señor Blake, padre! ¡No tengo ninguna duda! —confesó ella de modo implorante.

—¿Blake? ¿A qué te refieres? —preguntó alarmado.

—Al intento de secuestro —le explicó y, luego, trató de recobrar el ritmo de su respiración—. Recuerdo que yo lo mordí en una mano y el señor Blake tiene la señal marcada. ¡Hay que avisar a la policía inmediatamente!

—¡No voy a avisar a ningún policía! No tienes pruebas de lo que dices.

—¿Lo defiende? —preguntó desconcertada ante esa reacción. Por una vez había esperado su complicidad, pero su padre cuestionaba sus palabras.

Él la miró sin saber qué decir.

—¿En serio no va a hacer nada? —le reprochó.

—Yo no he dicho eso, sólo que no tienes ninguna prueba de que fuera ese hombre. Son suposiciones tuyas. Tienes que tranquilizarte.

La decepción hizo mella en Tess y todavía se alteró más.

—¡No voy a tranquilizarme mientras mi agresor esté aquí y usted no tome cartas en el asunto! —dijo al tiempo que se daba la vuelta—. Voy a buscar a la policía, aunque no le guste, padre.

El señor Gardner la agarró de un brazo y, con cierta inseguridad, añadió:

—Él no es el culpable, Tess. Créeme.

—¿Por qué está tan seguro?

El señor Gardner vaciló y, en ese momento, Tess recordó el instante en que su secuestrador subió al caballo y, en lugar de huir, había permanecido allí hasta que fueron alcanzados por el señor Courtenay. La seguridad con la que su padre exculpaba a Blake y la intranquilidad que notaba en su gesto le hicieron sospechar que él sabía algo más y se negaba a confesarlo. Entonces, su mente se iluminó.

—¡No me lo puedo creer! —gritó y el señor Gardner hizo un gesto rogando a su hija que bajara la voz—. ¡Oh! —volvió a exclamar ella.

—Tess, por favor —insistió su padre.

—¡Ahora lo entiendo todo! Me extrañaba que se preocupara más por mi rechazo al señor Courtenay que por haber sufrido un intento de secuestro pero, claro, todo fue idea suya. ¿Por qué no se me ocurrió antes?

—Tess, van a oírte.

—¿Y qué si me oyen? —gritó al tiempo que el señor Gardner la apartaba aún más hacia un pasillo vacío—. ¡Que todos sepan quién es usted! —comenzó a sollozar, pero, afortunadamente para su padre, eso la obligó a bajar la voz—. ¡Un hombre capaz de contratar a un desconocido para que finja secuestrar a su hija! ¡Con el único propósito de que ella quede endeudada con su salvador! ¡Oh! ¡Cómo ha podido...!

—¡Lo hice por tu bien, Tess! Eres tan terca como...

—¿Terca? ¿Se atreve a hablarme de terquedad? —le recriminó, mientras con una mano se quitaba las lágrimas dispuesta a no derramar ni una más–. Y... debo suponer que el señor Courtenay también formó parte de esta farsa, ¿no es cierto?

El silencio de su padre se lo confirmó y, esta vez sí, ella logró zafarse de su brazo y comenzó a alejarse. Se sentía decepcionada, humillada y dolida. Pero cuando llegó ante las escaleras, cambió de opinión y volvió a salir del hotel.

Se dirigió, con ademanes poco amistosos, hacia el cobertizo donde se encontraba Blake. Cuando él la vio llegar, dejó su labor y esperó quieto a que de nuevo lo llenara de reproches, pues ya imaginaba que la sospecha de antes regresaba ahora convertida en certeza.

Pero Tess no dijo nada. Se limitó a plantarle una bofetada sin previo aviso y fue el primer momento del día en el que logró sentirse reconfortada.

VIII

❦

Él aguantó impasible el golpe. Sabía que se lo merecía y entendía su enfado. Pero cuando Tess vio un punto de compasión en sus ojos, pues había cierta condescendencia en ellos, volvió a sentirse ofendida y comenzó a golpearlo con las manos en el pecho cada vez más fuera de sí. Él, sin enfadarse, la sujetó de las muñecas para tratar de calmarla. La obligó a estarse quieta y a mirarlo a los ojos, entonces ella, con el ceño fruncido, exclamó:

—¿Cuál es su precio? ¿Cuánto le pagó mi padre para fingir mi secuestro?

Blake notó que intentaba revolverse y la apretó aún más fuerte.

—Está bien —dijo—, tranquilícese. No fue buena idea…

—¿No fue buena idea? ¿Es todo lo que tiene que decir? —le gritó.

—No creo haberla lastimado, ni corrió usted ningún peligro…

—¡No! ¡No me lastimó! —le reprochó irónicamente—. ¡Y tampoco pensó en el miedo que pude sentir! ¿Sabe lo interminable que se me hicieron aquellos momentos? ¡No tenía usted ningún derecho!

—Ya le he dicho que tiene razón al enfadarse, pero no es necesario que dramatice.

Las palabras de él no pretendían ofender, pero lo hicieron.

—¿Dramatizar? –trató de reírse ella sin lograrlo.

—Sí, está exagerando porque se siente humillada. Es demasiado orgullosa.

La determinación de sus palabras acabó de indignarla.

—¿Se permite el lujo de insultarme? –preguntó, revolviéndose otra vez, aunque de nuevo sin éxito.

En esos momentos llegó el señor Gardner, que había salido tras su hija y acababa de encontrarla.

—¡Tess, por favor! –gritó.

Sólo en ese instante, Blake soltó las manos de ella, que ahora se revolvió hacia su padre.

—¡Ninguno de los dos tiene perdón! –exclamó enfurecida.

—Tess, ¿no comprendes que es culpa tuya? ¿Que si hubieras aceptado al señor Courtenay desde un primer momento, esto se podría haber evitado?

—¡¿Culpa mía?! ¡Oh! ¿Es que no ha entendido nada? –gritó, con una mirada que no daba opción a respuesta. Luego, se giró de nuevo hacia Blake y añadió–: ¡Los dos son iguales!

Y, dicho esto, se marchó aún sulfurada hacia el hotel.

Blake la observó marcharse hasta que el señor Gardner le recriminó:

—No debió dejarse morder la mano.

—Tal vez no fui el único que cometió un error. Su hija no es fácil de domar.

El señor Gardner lo observó un instante sin hablar, consciente de que el mordisco había sido un accidente imprevisible, y después añadió:

—Pensé que todo saldría bien... Pero la estoy perdiendo.

—No fue una buena idea. Tiene carácter y no va a olvidarlo fácilmente.

—Sí. Siempre ha tenido carácter. –Bajó los ojos con cierta melancolía y no volvió a hablar hasta pasados unos momentos–. Y está dispuesta a marcharse a Australia. Debo evitarlo a toda costa.

Blake se sorprendió ante estas palabras y, mientras miraba hacia la entrada del hotel, aunque ella ya no estaba allí, respondió:

—No cuente conmigo, Gardner.

—No, no, no pensaba... Intentaré que se relacione con Archibald Harding. Es de buena familia y tiene muchas posibilidades de ser el nuevo alcalde. Creo que aún no ha anunciado su compromiso con la señorita Morris.

—Su hija tiene razón –le recriminó Blake.

—¿A qué se refiere?

—A que usted no ha entendido nada –sentenció.

—¡Oiga, Blake! –exclamó el señor Gardner enojado ante una confianza que no le había otorgado–. ¡Guárdese sus consejos! ¡Ya tengo bastante con las monsergas de la señora Young! Usted quería un trabajo y ya lo ha obtenido. A partir de ahora, procure no opinar sobre los asuntos de familia.

—Y usted procure no volver a implicarme en ellos –lo retó.

El señor Gardner lo miró sorprendido por su insolencia. Luego, sonrió y le dio un golpe amistoso en el hombro mientras decía:

—Me gustan los tipos atrevidos. ¡Bienvenido al Maple Path, Blake!

Él le correspondió con media sonrisa sarcástica, pero el señor Gardner la obvió y continuó hablando.

—Tengo que renovar el negocio de alguna manera. Quería añadir un elevador, eso da prestigio a los hoteles, pero hace falta invertir. Si no puedo contar con el dinero del señor Courtenay para hacer algo atractivo, tendré que pensar en otra cosa. Después del verano, las reservas bajan mucho.

Blake miró fijamente a Gardner, sin dejar de apreciar que daba más importancia a la renovación del hotel que a la felicidad de su hija.

—Es un buen hotel –le respondió.

—Sí, pero la gente sólo viene durante el buen tiempo. Horston es un lugar muy tranquilo y no tiene nada que ofrecer, aparte de una colección de insectos o un par de edificios antiguos... Mayo también es buena época. Vienen muchas mujeres para visitar la tienda de la señorita Whittemore. Parece ser que ahora no se puede ir a Ascot sin un Whittemore.

—Se equivoca, tiene un lago magnífico. Se extiende desde aquí hasta la propiedad de Desley Abbey. Y los bosques son estupendos para una jornada de caza.

—La gente ahora prefiere los baños de mar. Había pensado invertir en hacer un balneario. En Europa se están poniendo de moda. Pero aún estoy pagando el crédito por la ampliación y, por lo visto, Tess no se va a casar con ningún ricachón.

Blake volvió a dedicarse a arreglar la ventana. Al cabo de un momento, se giró y le dijo en tono jocoso:

—Contrate a monstruos y verá como se llena esto.

—¿Monstruos?

—Sí, de esos que se exhiben en los circos. Hombres de Borneo, siameses unidos, mujeres barbudas... Si tuviera uno atendiendo en la recepción, la clientela subiría. La gente es muy escabrosa.

—¡Ja, ja, ja! Blake, por un momento había creído que hablaba en serio. Repito que me gusta usted. No tiene escrúpulos.

Blake también rio, aunque no le gustó la última afirmación.

—Puede patrocinar un equipo de fútbol. Es un deporte que se está poniendo de moda. Pronto, ninguna ciudad que se precie dejará de tener su propio equipo. Prepare el terreno cercano al lago y procure implicar a jóvenes de aquí de buena familia, para que inviertan. Luego, puede invitar a otros equipos y que se hospeden en el hotel.

—¿Fútbol? ¡Cualquiera puede jugar a fútbol! ¡Sólo hay que saber pegar patadas! —objetó—. Hay deportes con más clase.

—También puede construir un campo de golf. Ese es un deporte que ya no está al acceso de todo el mundo y no hay inglés que quiera considerarse importante que no se apunte a un club de golf, aunque no sepa jugar.

El señor Gardner quedó pensando en esa sugerencia.

—Requiere menos inversión que un balneario —insistió Blake—. Y mientras los hombres juegan al golf, pescan o van de cacería, las mujeres y sus hijos pueden pasear en bote por el lago. Debería incidir en el ambiente familiar. Creo que el embarcadero está desaprovechado. No me parece buena idea que sólo alquile botes a los clientes, también podría hacer negocio con los vecinos.

—Entonces los clientes sentirían el agravio de no poseer la exclusividad.

—¿En serio piensa eso? La gente atrae a gente. Si una persona ve el lago vacío, es más seguro que desista de alquilar un bote que si ve a los demás disfrutando. Ofrezca también un servicio de pastas de té para las mujeres y que todo el pueblo hable de su exquisitez.

—En eso tiene razón. Y la idea del campo de golf me atrae. Pero me obligaría a talar árboles de la zona boscosa.

—Aunque tal vez deberíamos pensar en un deporte en el que también pudieran participar las mujeres —dijo y, procurando que el señor Gardner pensara que la idea nacía de sí mismo, cogió el martillo como si fuera una raqueta.

El señor Gardner, tras un momento en el que tardó en entender lo que se le insinuaba, preguntó:

—¿Una cancha de tenis?

—¿Por qué no? En Londres las mujeres no dudan en apuntarse a un club de tenis. Incluso Wimbledon tiene una competición exclusivamente femenina.

—Sí, esa es una buena idea —le sonrió agradecido—. Y barata.

—Debería inaugurar las pistas con un torneo y anunciarlo por todo el país.

—Habría que poner anuncios en los periódicos...

—O invitar a alguien que a su vez le aportara fama y nuevos clientes. Según de quién se tratara, arrastraría a la prensa sin necesidad de pagar por la publicidad.

—Sí, eso sería estupendo. Pero ¿a quién? ¿A la reina? —preguntó al tiempo que lo miraba para averiguar en su expresión si él tenía alguna idea.

—¿Qué le parecen los hermanos Renshaw?

—¿No ha sido uno de ellos quien ha ganado Wimbledon este año?

—Ernest Renshaw, pero su hermano tampoco juega mal.

—¿Y cree que aceptarían la invitación? —preguntó sorprendido—. Dudo mucho de que pueda interesarles este lugar, seguro que tienen muchas ofertas.

—En esta época suelen entrenar en Francia, por el clima. Pero precisamente el tiempo aquí es más suave que en Londres. Debería ofrecerles algo que no encuentren en otro lado.

—¿Raquetas de oro? —se burló.

Blake sonrió.

—He oído que al menos uno de ellos es un gran aficionado a los naipes —le explicó al señor Gardner—. Podría aprovechar también para organizar una partida de póquer.

—¿Está seguro de que una partida de póquer puede tentarlos?

—Muy seguro —respondió mientras le guiñaba un ojo—. Si junta ambas cosas, puede dar por hecho que los Renshaw vendrán y toda Inglaterra conocerá su hotel.

Al señor Gardner se le iluminó la mirada y se perdió en esa idea durante unos instantes. Luego, una sombra cruzó por su rostro y añadió:

—Blake... Lo de la partida de póquer deberíamos hacerlo sin que se enterara mi hija. Ella no simpatiza con esas cosas.

—No tiene más que disponer de una habitación para el evento y yo me encargaré de lo demás.

El señor Gardner lo miró sorprendido. En cinco minutos le había dado más ideas de las que a él se le habían ocurrido los últimos cinco años.

—Creo que haremos buenas migas. Si sigue así, ascenderá rápidamente. Aquí la gente tiene las ideas estancadas. Ya sabe, los pueblos siempre dan la espalda al progreso.

Blake sonrió.

—Otro modo de hacer famoso este pueblo es a través de un crimen escabroso. Pero no creo que le interese invitar al destripador londinense a ninguna de sus *suites*.

—No, no me atrevo —respondió al tiempo que emitía una carcajada—. Y es una lástima, porque eso sí que nos lanzaría a primera plana en el mismísimo The Times.

Luego, recobró la seriedad y, algo más desanimado, dijo:

—De todas formas, esto no soluciona el tema de mi hija.

Quedó callado contemplando el piso superior del hotel, aunque desde allí no se veía la ventana de Tess, y quedó absorto en sus pensamientos. Blake tampoco dijo nada y, tras un momento de silencio, volvió a dedicarse a arreglar la ventana.

Cuando el señor Gardner regresó al interior del edificio, notó que la señora Young estaba esperándolo.

—¡¿Cómo ha podido?! —le espetó esta.

—No estoy para regañinas ahora. ¿Mi hija está en su habitación?

—Sí, pero le aconsejo que espere antes de hablar con ella. No vaya a empeorar las cosas...

—Está bien, está bien, esperaré. Dígale a Sam que venga a mi despacho. Tengo que escribir una invitación y quiero que la lleve urgentemente.

—Espero que no se trate del señor Courtenay.

—El señor Courtenay se ha acabado. Es para Archibald Harding.

La señora Young abrió más los ojos y le reprochó:

—¿No esperará casar a su hija con él? ¡Está comprometido con la señorita Morris!

—Que yo sepa, todavía no se ha anunciado el compromiso. Además, como comprenderá, no voy a permitir que mi hija se vaya a Australia. Está comprometida con un tipo de allí y me temo que usted sabía algo. Sepa que no le perdono el que me lo haya ocultado —le comentó enfadado.

—Aún no está comprometida, sólo se cartean. Tal vez quede en nada.

—¿No lo está? —preguntó algo más relajado.

—No, aunque no le niego que ella está deseando que se lo proponga. Y puedo entenderla, vaya si puedo entenderla.

—Bien, más motivo, entonces, para buscarle un pretendiente aquí. Aún estamos a tiempo.

Mientras el señor Gardner se dirigía hacia su despacho, la encargada de cocina lo adelantó y se plantó ante la puerta para impedirle que entrara.

—¿No ha aprendido nada? ¿No puede dejarla en paz?

—No, señora Young. No dejaré que mi hija me abandone. Si estuviera dispuesta a aceptar un marido de este pueblo, le juro que en estos momentos no me importaría que estuviera arruinado. ¡Pero quiero que Tess se quede aquí!

—Con esa actitud autoritaria sólo consigue ahuyentarla más.

—¿Y qué espera que haga? ¡Ella no acepta nada que venga de mí! ¡Está influenciada por esa maldita bruja que fue mi suegra!

—Tal vez si le demostrara que la quiere, en lugar de pretender dominarla...

—¡Yo no quiero dominarla! ¡Sólo quiero que actúe de forma sensata y no tenga en su cabeza ideas extravagantes como la de marcharse al otro lado del mundo!

—¿Y no piensa que usted tiene algo que ver en que ella haya escogido precisamente el lugar más lejano a Inglaterra?

El señor Gardner la apartó a un lado y abrió la puerta para entrar en su despacho. La señora Young lo siguió y parecía dispuesta a quedarse hasta decir algo más.

—¿Acaso no ve que usted es el único culpable de que su hija quiera marcharse?

—¡Todos me culpan a mí! ¡Qué fácil les resulta! —exclamó el señor Gardner golpeando el puño contra la mesa.

—¿Y no se pregunta por qué? —le preguntó la cocinera, sin ninguna indulgencia en su mirada.

—Señora Young, ya le he dicho que ahora no es momento para sermones. Haga el favor de dejarme tranquilo y avisar a Sam —le dijo decidido—. Invitaré al señor Harding, lo apruebe o no.

La señora Young le dedicó una mirada réproba que él desafió. Ella salió de allí notablemente irritada y el señor Gardner se desplomó sobre su sillón.

Sabía que se estaba equivocando, pero sentía la urgencia de retener a su hija y no era capaz de disculparse ni de rectificar.

IX

La noche anterior, la señora Young había llevado la cena de Tess a su habitación, pero ella apenas había probado bocado. No había salido de allí desde mediodía y, en aquellos momentos, sentía que le bastaba con alimentarse de orgullo, rabia y exasperación.

Al día siguiente, Tess se despertó hambrienta. Se aseó y vistió para ir a desayunar, dispuesta a ignorar la presencia de su padre y de su nuevo empleado, pero nada más bajar encontró al primero en el vestíbulo acompañado de un oficial de policía. Ambos salían del despacho del señor Gardner, por lo que ella supuso que ya llevaba un rato allí. Cuando el teniente vio a Tess, la saludó y se dirigió hacia ella. Al mismo tiempo, la muchacha percibió que su padre la miraba de forma censora y con el entrecejo fruncido, y sólo entonces recordó que no lo había avisado de su visita a la comisaría.

—Buenos días, señorita Gardner. Estaba informando a su padre de que ya hemos localizado al dueño de la trilladora —comentó, no sin antes asegurarse de que unos clientes abandonaban el lugar—. Vino a comisaría a denunciar su desaparición y tiene coartada, así que ha quedado descartado como sospechoso.

—Gracias —se limitó a responder ella bajo la mirada expectante del señor Gardner.

—Continuamos sin indicios de quién pudo haber sido. Le agradecería que, por el momento, siempre que desee salir, vaya acompañada.

—Descuide. Estoy segura de que no volverá a ocurrir —comentó mirando a su padre de forma amenazante.

—Eso es algo que ni yo mismo puedo asegurarle. Prométame que será prudente —insistió el policía.

—Le prometo que no me expondré a un nuevo secuestro. ¿Verdad, padre, que usted también hará todo lo que esté en su mano para evitarme riesgos?

El señor Gardner tosió de forma incómoda, pero no respondió.

—Bien, les deseo un buen día —se despidió el teniente, que quedó satisfecho con esa afirmación—. Tengo que hacer otra visita importante, espero que me disculpen por mi escaso tiempo.

—¡Vaya, vaya y atienda a nuestros vecinos! —dijo el señor Gardner poniendo su mano sobre el hombro del policía y acompañándolo hacia la salida.

Tess aprovechó para marcharse a la zona de servicio. Saludó a la señora Young y al resto del personal y se sentó tanto a la espera de que le sirvieran como de los reproches de su padre que se avecinaban. Lo había visto en su expresión.

Efectivamente, el señor Gardner entró en la estancia poco después y se dirigió hacia ella, olvidándose de que existían los demás.

—Al menos has tenido la prudencia de no contar la verdad, sobre eso no tengo nada que objetar. Pero, ¿no podrías haberme avisado de que habías puesto una denuncia? ¿Sabes a lo que me has expuesto?

—No sé cómo se atreve a hacerme reproches a mí —respondió ella sin levantar la cabeza y centrando su mirada en la taza de té—. Usted se expone solo, no necesita mi ayuda para ello.

Él se quedó sin palabras ante esa indiferencia y comenzó a caminar frente a su mesa, dando dos pasos hacia un lado y, luego, hacia el otro, como si pensara qué decir. Finalmente, se quedó parado y volvió a mirarla.

—Al menos, dime que no le contarás a la policía lo que ocurrió. Probablemente en unos días dejarán correr el asunto si no tienen más novedades.

—¿Le preocupa su reputación, padre? —se burló ella.

Los miembros del servicio que se encontraban en la estancia se quedaron quietos, como si quisieran pasar desapercibidos ante esa provocación. Sin embargo, ni el señor Gardner ni su hija reparaban en ellos.

—¡Maldita sea, Tess! ¡Esto afecta tanto a mi reputación como a la tuya! —gritó el dueño del hotel—. ¿Qué crees que pensará la gente de una joven a la que su padre pone en aprietos para poder casarla? ¿No ves que ya empiezas a llevar la cruz de solterona, como tu amiga Maud Southgate? —Al ver que ella no se molestaba en responder, continuó hablando—: No tienes la belleza de las Larraby ni la dote de las Dankworth, ¿crees que resulta fácil para un padre imaginar cómo su hija se marchita mientras le pasa la vida?

Tess respiró profundamente ante la afrenta y, sin levantar la voz, respondió:

—Y aunque tuviera la belleza de las Larraby o la dote de las Dankworth, olvida, padre, que el mero hecho de imaginarlo a usted como suegro haría desistir al hombre más enamorado y decidido de este mundo.

—¡Eres terca, Theresa Gardner! —rugió—. Pero si piensas por un momento que voy a consentir que me abandones para marcharte a Australia, estás muy equivocada. ¡No te irás! ¿Me oyes? ¡No te irás!

—Lo que usted diga, padre —respondió bajando de nuevo la mirada—. ¿Me alcanza la mantequilla?

El señor Gardner no le pasó la mantequilla, pero la actitud de su hija lo hizo desistir una vez más y abandonó el lugar más irritado de lo que había entrado.

Tess suspiró y cruzó una mirada de complicidad con la señora Young, que, aunque se había mantenido apartada de ambos, había estado atenta a la discusión. Luego, la muchacha acabó de desayunar y subió a su habitación para arreglarse para ir a la iglesia. Desde que tenía uso de razón, no recordaba que su padre hubiera asistido a ningún oficio religioso y esperaba que aquel día no cambiara de opinión.

Salió del hotel y, aunque miraba al frente, con el rabillo del ojo buscó a Blake a fin de no cruzarse con él. No lo vio en la zona del cobertizo ni en los jardines de alrededor, así que se sintió más tranquila y cogió su bicicleta dispuesta a emprender su camino.

Esta vez avanzó sin miedo a ningún secuestro y sólo se lamentaba de que la correspondencia entre Australia e Inglaterra fuera tan lenta. Si pudiera recibir cartas del señor Farrell con más frecuencia, posiblemente la fecha de su compromiso no se demoraría tanto. Sin embargo, era cierto que las cartas con las que ella respondía no eran largas. Todo lo que había pensado decirle, mientras esperaba a que llegaran noticias de él, se evaporaba cuando se sentaba ante el papel en blanco y se veía obligada a escribir algo en aquellas cuartillas.

Luego, recordó el retrato que él le había enviado y procuró buscar algo agradable en su aspecto, pero no lograba encontrarlo. El señor Farrell había perdido casi todo el cabello y sus ojos parecían vidriosos y severos. Cierto que era un retrato de carboncillo y la imagen no era muy nítida. Al recibirlo, Tess se había preguntado si tan difícil resultaba conseguir una fotografía en aquel pueblo australiano. Poco a poco, aunque intentaba concentrarse en el señor Farrell, su mente fue cambiando matices de esa imagen hasta deformarla del todo. Cuando de pronto se convirtió en el rostro de Blake, notó una burla en el alma y se enfadó consigo misma.

Se sintió tan ofendida con esa imagen que a continuación se olvidó del señor Farrell y se planteó la posibilidad de relatar lo ocurrido a la policía. Eso molestaría a su padre, sin duda, y también lo implicaría. Y al señor Courtenay, por quien no sentía ninguna pena. Pero también la implicaría a ella y su nombre estaría en boca de cada habitante de Horston. Además, las consecuencias que pudiera tener para Blake aquel incidente serían mínimas. Al fin y al cabo, no había intentado secuestrarla, sólo había interpretado un papel por encargo de su propio padre. Así que desistió de esa idea, sobre todo porque no quería que se rumoreara sobre ella. Hubo de reconocer que su padre llevaba razón, lo mejor que podía ocurrir era que la policía no encontrase nada y que con el tiempo se olvidara del tema.

Llegó a casa de los Southgate y, antes de aparcar, tocó el timbre de su bicicleta. Maud salió inmediatamente y la agarró de un brazo.

—Mis padres y los gemelos aún no están listos. Adelantémonos nosotras y me cuentas cómo va todo. ¿Ha habido más reacciones de tu padre a tu rechazo al señor Courtenay? ¿Han vuelto a intentar secuestrarte? –bromeó con la tranquilidad de tenerla a su lado.

Empezaron a caminar hacia la iglesia bajo un sol que por momentos se ocultaba tras unas nubes que no parecían ofensivas.

—Mi padre está insoportable, pero eso no es una novedad. Y no volveré a sufrir ningún intento de secuestro, puedes estar segura, en realidad todo fue una farsa –confesó Tess.

—¿Una farsa? –preguntó sorprendida–. Explícate mejor.

Y Tess le refirió todo lo ocurrido el día anterior, excepto que Blake ahora trabajaba en el hotel.

—Perdona que te lo diga, pero esta vez tu padre ha llegado muy lejos.

—Y lo peor de todo es que no se da cuenta, Maud. ¡Está obcecado! –protestó.

—Me cuesta creer que el señor Courtenay fuera partícipe de algo así. Nunca lo hubiera dicho.

—Pues créetelo. Él está tan implicado como el truhán de Blake.

—¡Una no puede confiar en los hombres! Al final, voy a desear quedarme soltera.

—Dudo mucho de que ese llegue a ser tu deseo –rio Tess ante aquel comentario–. Deberías responder a algún anuncio de periódico, como hice yo.

—¿Y casarme con alguien que no conozco? No soy tan arriesgada como tú.

—¿Qué riesgo corro si a través de las cartas voy conociendo su carácter?

—¡Oh! En una carta alguien se retrata como le gustaría ser, no como es.

—Esa puede ser la primera intención, pero a la larga el carácter se filtra en cada palabra.

—¿Dirías que alguien te conoce bien si leyera lo que hasta ahora le has contado al señor Farrell?

—Todavía llevamos pocas cartas.

—Si os demoráis en comprometeros, la ilusión se enfriará.

—No temas por eso. La convivencia con mi padre renueva constantemente las ansias de marcharme. Y ya sabes que, en un matrimonio, no busco una relación romántica, sino estabilidad y tranquilidad.

—Sí, conozco demasiado bien tu racionalidad en este tema. Pero no sé si estoy de acuerdo. A veces pienso que te niegas la posibilidad de ser feliz sólo por un miedo incierto.

—¿Incierto?

—Por supuesto que es incierto. No todos los hombres son infieles. Además, al negarte la posibilidad de sufrir, también te niegas la de sentir cosas maravillosas.

—Te equivocas. Tal vez, al conocerlo mejor, me enamore del señor Farrell.

—¡Oh, vamos! No pretendas engañarme a mí. ¡Tú no quieres enamorarte! Acabas de reconocer que en un matrimonio buscas tranquilidad. Y, lo cierto, siendo así, no sé qué diferencia hay entre el señor Farrell y el señor Courtenay.

—Nunca aceptaré a un pretendiente que me imponga mi padre —comentó Tess con cierta rabia.

—Lamento tener que dejarte sola con tu padre en Navidad —apuntó de pronto Maud—. Ayer recibí carta de mi hermano y me han invitado a Londres.

—¿En serio? —se alegró Tess—. Lo celebro por ti. Sé que hace mucho que estabas esperando esa ocasión. Espero que no te intimide el tema de los asesinatos. La capital es muy grande.

—No, te aseguro que eso no me va a frenar. Además, de momento, sólo han asesinado a mujeres de mala vida. La cuestión es que no me confundan con una de ellas —dijo guiñándole un ojo—. Hoy he estado examinando toda mi ropa y creo necesario encargar al menos tres vestidos nuevos.

—¿Buscas disfraces para ocultar tu encanto?

—Mi encanto me ha mantenido soltera hasta el día de hoy. Más me vale aprovechar el tiempo que pase en la capital para dar un vuelco a mi situación. Sí, decididamente necesito al menos tres vestidos, pero mejor si son cuatro o cinco. A partir de ahora, voy a ser una hija encantadora. Mi padre se va a cansar de tantas adulaciones.

Tess sonrió.

—¿Cuándo te marchas?

—La idea es partir a principios de diciembre. ¿Crees que en las fechas navideñas los caballeros adinerados estarán más dispuestos a lisonjear a una dama como yo que en otro momento del año?

Llegaban a la iglesia y la señorita Whittemore salió enseguida a su encuentro.

—¡Buenos días, señorita Southgate; buenos días, señorita Gardner! He sabido que su padre ha contratado al señor Blake.

Maud miró a su amiga y Tess notó un aire de reproche por no habérselo contado.

—No sabía que necesitaran empleados —insistió la diseñadora de sombreros.

—Creo que sólo es algo temporal —añadió Tess—. El señor Woods ha tenido un pequeño accidente. Pero ya conoce el carácter de mi padre. No sé si congeniarán.

—Sería una lástima. Hemos quedado unas cuantas para ir a su hotel. Unas vistas como esas no deben perderse —dijo guiñándole un ojo.

—¡Señorita Whittemore! —fingió escandalizarse Tess—. Pensé que lo consideraba sospechoso de los crímenes de Whitechapel. ¿Qué le ha hecho cambiar de opinión?

—¡Buenos días! —las interrumpió la señora Odell con su saludo.

Tess se sintió aliviada por la llegada de la mujer del vicario porque, sin duda alguna, aquello finalizaba la conversación sobre Blake.

—¿Han oído que el señor Harding piensa reponer el coro de Horston si llega a la alcaldía?

—¡Eso sería estupendo! —respondió la señorita Whittemore—. No entiendo por qué hemos estado tantos años sin él. Deberíamos pedir ayuda a los Dankworth, seguro que ellos apoyan la idea de un coro.

Mientras la señorita Whittemore y la señora Odell hablaban de ese tema, Tess vio a Nicholas Wayne a unos escasos metros. De nuevo, él la estaba observando, aunque desvió la mirada en cuanto notó que ella también lo contemplaba.

Tess dejó de escuchar lo que decían sus compañeras para fijarse en él, ahora que Wayne daba la vuelta y mostraba su espalda. Era un hombre de unos treinta años; atractivo, a pesar de no ir arreglado. Debía reconocer que el herrero, de pelo oscuro y ojos negros, era un hombre guapo. De buena estatura, aunque no tan alto como Blake, sus brazos se notaban musculados por su trabajo. Sin embargo, no era atracción lo que sentía ante él, sino desasosiego por sus constantes miradas furtivas.

No recordaba haber hablado nunca con él, aunque en un lugar como ese se habían cruzado en muchísimas ocasiones. Sí lo había oído conversar con otros y sabía que tenía un timbre de voz grave y rugoso, de esos que acarician tanto el oído como el alma. Era un hombre serio y sin vicios conocidos y en los últimos años había mejorado mucho el negocio familiar con incorporaciones de maquinaria.

—Estuvo muy enamorado de Martha Calloway —comentó la señorita Whittemore dirigiéndose a Tess, pero en referencia al señor Wayne, a quien también miraba—. Creo que ella le correspondía, pero su familia no veía con muy buenos ojos que anduviera con un herrero.

—No se haga la ilusión de que tiene un nuevo cotilleo, no lo contemplaba con esa intención —respondió Tess, procurando quitarle importancia, pero, luego, preguntó—: ¿Se refiere a los Calloway que se mudaron a Londres?

—Los mismos. De hecho, el motivo de su marcha fue separar a su hija del señor Wayne. No hubiera sido un matrimonio sensato. Con el apellido Calloway, ella podía aspirar a mucho más. De hecho, me encontré a su madre una vez que estuve en Londres y me comentó que se había comprometido con un barón, aunque no recuerdo su nombre.

Tess la contempló expectante y dijo:

—Hará ya más de cuatro años que se marcharon…

La señorita Whittemore precisó:

—Por San Miguel hizo cinco. Me gustaría saber qué fue de ellos. Nunca escribieron, y eso que se lo pedí encarecidamente.

—Si querían romper lazos con Horston es normal que no lo hayan hecho, querida —intervino la señora Odell buscando zanjar el tema—. Deberíamos entrar, el oficio está a punto de empezar.

La señorita Whittemore vio frustrada su intención de continuar hablando sobre vidas ajenas, pero aun así, al ver a la señorita Morris y a su familia acompañados del señor Harding, emitió una disculpa a las presentes y se dirigió hacia los que pretendía convertir en sus nuevos acompañantes.

Los Southgate llegaron justo cuando Maud, Tess y la señora Odell entraban en la iglesia y se unieron a ellos. El señor Wayne los observó y entró inmediatamente después.

X

❦

El lunes, después de desayunar, Tess salió a pasear por los jardines del hotel. Esperaban la visita del señor Harding sobre las diez de la mañana y el señor Gardner había insistido a su hija en que ella debía estar presente.

Había llovido durante toda la noche y, aunque ahora no lo hacía, las nubes continuaban amenazantes y el paisaje tenía una extraña luz que resaltaba entre los grises del cielo y los tonos más oscuros del lago. Había un aroma a hierba mojada que a Tess le encantaba, aunque la posibilidad de que volviera a llover hizo que no le molestara tanto quedarse en el hotel precisamente aquel día.

Tess no temía nuevas presiones por parte de su padre, pues todo el mundo conocía el interés del señor Harding por la señorita Morris. Imaginaba que el asunto de su visita tenía que ver con algún negocio que su padre se traía entre manos, aunque lo cierto es que no le intrigaba demasiado. Sus pensamientos se encontraban lejos de allí. Si pronto Maud se marchaba a Londres, sus días esperando a que el señor Farrell se decidiera a pedirle matrimonio se le harían más largos que nunca. Se alegraba por su amiga, claro que sí, y también la envidiaba. No tanto por la oportunidad de conocer a solteros como de tener un refugio al que poder escapar de la rutina y las presiones de Horston. Algunos huéspedes eran asiduos al hotel y venían fieles cada año, pero la mayoría serían personas a las que no volvería a ver. Se sentía obligada a sonreír siempre, incluso cuando estaba de mal humor, y la presencia constante de su padre no conseguía que sintiera la paz inherente a aquel lugar.

La naturaleza del entorno le maravillaba. Observaba los cambios de las estaciones en las plantas, en los hábitos de los pájaros, en los colores de la luz diurna y en los matices de cada atardecer. Le encantaba perderse en la parte boscosa cercana al lago, con el aroma de las gardenias cuando estaban florecidas, y pensar que el hotel y su padre quedaban lejos. Ahora, en otoño, las hojas de los árboles lucían ocres o rojizas junto a otras que permanecían con sus verdes de siempre, a pesar de que las nubes apagaran su brillo. Sentía que allí podía respirar de un modo distinto que cuando se encontraba entre los clientes.

Atravesó las dos columnas de mármol que presidían el paseo hacia el arcedo, procurando esquivar los charcos, pero enseguida abandonó el camino para introducirse en el bosque. Sin darse cuenta, empezó a silbar, como si su alma se sintiera en armonía con aquel entorno.

Al cabo de diez minutos de paseo, se detuvo bajo un viejo alcornoque donde muchas tardes de verano se sentaba a leer. Ahora, ni llevaba ningún libro ni le apetecía quedarse mucho tiempo bajo la humedad de la sombra. Se preguntaba si en Australia habría alcornoques cuando el crujido de una rama la sobresaltó y se giró por la impresión.

—Lamento haberla asustado —le dijo Blake, que estaba de pie observándola.

—¿Me ha seguido hasta aquí? —preguntó ella con desagrado.

Él no pudo evitar una carcajada ante la ocurrencia y, luego, comentó:

—La modestia en la mujer es algo que siempre me sorprende —ironizó y, a continuación, descruzó los brazos y añadió—: Pero supongo que esa no es la respuesta que esperaba oír.

—Se equivoca, señor Blake. La mera idea de que pueda haberme seguido me produce escalofríos.

—¿No pensará que tengo intención de volver a secuestrarla?

—Pienso que no tiene usted ninguna buena intención —respondió, sorprendida de que él tuviera la desfachatez de recordar aquel incidente por el que debería sentirse avergonzado.

Él sonrió ante el frustrado intento de afrenta.

—Por supuesto que no. ¡Cómo iba a pensar lo contrario alguien como usted de alguien como yo!

—Vuelve a equivocarse. No tengo prejuicios ante alguien que se busca la vida con todo tipo de trabajos, pero sí poseo una extraña tendencia a sentir animadversión hacia todo aquel que muestra una arrogancia extraordinaria en cuanto abre la boca. Y no tengo ninguna duda de que me encuentro ante alguien así.

—Es normal que piense que la arrogancia no es propia de empleados. Debe de suponer que en la hija del jefe queda más natural.

—No quiera comparar su descaro a lo que en mí es una reacción a sus modales… —le recriminó procurando no exaltarse.

—Por nada del mundo nos compararía, señorita Gardner. Me temo que, en cualquier virtud que lo intentase, usted siempre saldría ganando.

Ella no obvió la ironía de esas palabras al considerar la arrogancia como una virtud y, poco dispuesta a seguir soportando sus impertinencias, prefirió emprender el camino de regreso.

Lo que no esperaba es que él también empezara a caminar a su lado, así que aceleró el paso a fin de que aquellos momentos duraran lo mínimo. Pero fue tal el ansia con la que lo hizo que colocó mal un pie sobre unas piedras y acabó resbalando contra unas hojas mojadas.

Apenas sintió dolor, pero la sensación de humillación la dejó unos segundos postrada en el suelo incapaz de levantar la mirada. Blake se acercó con su sonrisa pendenciera y le tendió una mano para ayudarla a incorporarse. Ella se negó a tomarla y procuró levantarse sola, pero el musgo y la humedad de la piedra sobre la que se apoyaba la hicieron resbalar de nuevo. Cuando quiso darse cuenta, Blake ya se había colocado a su espalda y la había agarrado de las axilas para alzarla.

Ella se soltó de inmediato y comenzó a arreglarse los bajos del vestido y a quitarse las hojas muertas que se le habían quedado pegadas. Visiblemente sulfurada, le reprochó:

—No necesito su ayuda.

—No se preocupe —murmuró él, como si pretendiera evitar que los oyera algún extraño en aquel lugar solitario—, no se lo contaré a nadie.

—Podría disimular que se está divirtiendo —le recriminó al tiempo que reemprendía el regreso.

—Podría… pero dudo mucho que usted me creyese —respondió él acompañándola.

Ella se giró para dedicarle una mirada belicosa y él añadió:

—Sólo la he llamado inteligente, ¿también se ofende por eso?

—Me extraña que aún no se haya dado cuenta de que me ofende todo en su persona, señor Blake —respondió, tratando de herirlo—. No sabe cuánto deseo que su estancia en Maple Path sea breve.

—Lamento que su padre no tenga la misma intención —se burló él.

Tess arqueó las cejas, como si se quejara de las decisiones de su padre, y aceleró el paso procurando dejar claro que no deseaba su compañía. Pero él no sólo la siguió, sino que incluso la adelantó para apartar unas ramas de un sauce que se interponían en su camino. Al hacerlo, el agua de las hojas dejó un pequeño reguero a su lado y no la mojó. Ella no agradeció el gesto y continuó ignorándolo. Pero a Blake le gustaba el riesgo y le preguntó:

—¿En serio piensa marcharse a Australia?

—Mis asuntos no son de su incumbencia —dijo molesta porque él tuviera conocimiento de sus intenciones.

Él obvió su comentario y añadió:

—Me sorprende que sea tan aventurera. ¿Ya ha visto un retrato de su prometido? ¿Sabe qué tipo de persona es?

—No necesito ver un retrato para saber qué tipo de persona es alguien, señor Blake. Las palabras hablan mucho más de un carácter que una imagen.

—Entonces, seguro que tiene verrugas. Si fuera un hombre atractivo, ya se lo hubiera hecho saber.

Ella estuvo a punto de no responder, no le apetecía darle explicaciones a un desconocido, pero las ansias de no dejarlo con la última palabra se lo impidieron.

—Es un hombre sensible que me dedica poemas —respondió, molesta por las alusiones a su imagen, pues sabía que el señor Farrell no era un hombre guapo.

—¿Poemas? —preguntó Blake, sin poder evitar una carcajada.

—Ya me imaginaba yo que usted no poseía sensibilidad para ciertos temas.

—No parece usted el tipo de mujer capaz de ser conmovida por unos versos —continuó burlándose él.

—Usted no sabe nada de mí.

—¿Y en sus poemas habla de amor eterno con metáforas que la hacen suspirar?

Tess decidió no responder. No se sentía cómoda en la discusión, pero enseguida notó que nuevamente no se tranquilizaba en el silencio.

—¿Por qué perdió su último trabajo? —le preguntó, cambiando de tema, como si hubiera una acusación encubierta en la duda.

—Yo también podría contestarle que mis asuntos no son de su incumbencia.

—Lo imaginaba: tiene algo que ocultar.

—Imagina usted mucho.

Como notó que a él le molestaban sus preguntas, Tess insistió:

—¿Cometió algún robo? ¿Fue violento con alguien? ¿O simplemente lo echaron porque no era capaz de cumplir con su cometido?

Sin embargo, esta vez no logró que él se inmutara.

—El encargado me sorprendió escribiendo poemas a su mujer —se burló una vez más.

Ella emitió un resoplido de resignación y regresó al silencio.

Enseguida llegaron al límite del bosque y, afortunadamente, cuando pasaron por las dos columnas, él le deseó un buen día antes de desviarse de su camino, saludo al que Tess no correspondió y, sin siquiera mirarlo, continuó avanzando hacia el hotel al ver el carruaje del señor Harding.

El postulante a alcalde acababa de llegar y se encontraba con el señor Gardner en el vestíbulo cuando Tess entró.

—¡Buenos días, señorita Gardner! Le estaba contando a su padre que me alegró mucho su invitación, puesto que yo tenía la intención de visitarlos esta semana.

—Una feliz casualidad —dijo Tess, procurando que no se notara la ironía.

—Sí, muy feliz —respondió el señor Harding alegremente.

—No nos quedemos aquí, vamos a la terraza cubierta a tomar unas copas. Tiene pinta de volver a llover en cualquier momento. Al fin y al cabo, estamos a las puertas del invierno y no ha hecho el frío que de costumbre —dijo el señor Gardner al tiempo que lo agarraba del hombro y lo empujaba hacia afuera—. Acompáñanos, Tess.

Tess los siguió, aunque pensaba que en una reunión de negocios su presencia no era necesaria.

En cuanto salieron a la terraza acristalada, de ambiente cálido por las tres chimeneas, la señorita Whittemore se levantó de una mesa en la que había varias mujeres e hizo un gesto con el brazo mientras decía:

—¡Señorita Gardner! ¡Estamos aquí! Hemos sido puntuales, como le prometimos.

Junto a ella, se hallaban las dos hermanas Larraby, la señora Dobbin, la señorita Mackenzie y Maud Southgate. Esta última miró a su amiga con cara de circunstancias, como si no hubiera podido oponerse a la idea de esa visita. Lo cierto es que Tess no recordaba que le hubieran prometido visitarla.

—¡Oh! ¡Qué estupendo que estén todas aquí! —exclamó el señor Harding—. Así me ahorraré algunas visitas.

—¿No pretenderá que nos sentemos con ellas? —preguntó el señor Gardner contrariado.

—¿No le gusta la compañía femenina?

El hotelero prefirió no dar su opinión sobre esa idea, y menos sobre la señorita Whittemore, con quien mantenía desavenencias públicas desde hacía más de veinte años, pero se vio obligado a acercarse a la mesa de las mujeres por deferencia a su invitado. Esta vez, era el señor Harding quien lo conducía.

Se sentaron y pidieron dos copas de jerez, mientras las mujeres tomaban un té que les habían servido con anterioridad. Para sorpresa de sí misma, Tess también pidió un jerez, pues sentía que debía calmar de alguna manera su ánimo excitado tras el encuentro con Blake, aunque tal vez no fuese esa la forma más acertada.

Después de unas frases protocolarias y de saludos generales, el señor Harding tomó la palabra y anunció a todos los presentes su compromiso con la señorita Morris. Nadie se sorprendió de la noticia, excepto el señor Gardner.

—Ayer formalicé la petición. Nos casaremos en mayo.

Las felicitaciones llovieron sobre él, aunque, mientras eso ocurría, la señorita Whittemore y una de las Larraby se acercaban a Tess y la primera de ellas le decía:

—La hemos visto antes con el señor Blake. ¿Ya han hecho amistad?

La aludida se quedó perpleja ante el descaro de la diseñadora de sombreros, ignoraba que hubiera sido vista y, sin saber por qué, notó que se sonrojaba.

—Nos habrá visto en el único momento en que hemos coincidido. No es mi costumbre alternar con los empleados.

—Bueno, bueno… Luego nos cuenta. Por cierto, ¿sabe adónde ha ido?

—¿Quién?

—El señor Blake, naturalmente.

Tess negó con un gesto de hombros y, a continuación, procuró atender al señor Harding y sumarse a las felicitaciones.

El señor Gardner no tuvo otro remedio que quedarse durante media hora, aunque ya había perdido el interés por estar allí, y agradeció salir del apuro cuando el señor Harding se levantó y dijo que tenía que irse.

—La señorita Morris me espera.

Por supuesto, el señor Gardner también tenía algo que hacer.

Tess quedó sola con las damas y enseguida una de ellas propuso pasear por los jardines de Maple Path, a los que en otras ocasiones no había hecho honor. Tess comentó que amenazaba lluvia, pero fue lo mismo que si no hubiera dicho nada. Aunque ninguna volvió a mencionar el nombre de Blake, durante el paseo resultó obvio que, con la mirada, todas lo buscaban y, como no lo veían, cambiaban de dirección con el pretexto de acercarse a unas gardenias ahora y a unos lirios después, según les indicaba su intuición.

—Se me ocurre que podríamos celebrar las reuniones del club de lectura en el hotel, en lugar de en casa de la señora Odell —dijo Olympia Larraby de pronto—. He podido comprobar que entra muy buena luz por los ventanales del salón. Y es un lugar más espacioso que la sala de la vicaría, por si hay nuevas incorporaciones.

—¿Hay alguien más interesado en apuntarse al club? —comentó Tess con tono escéptico.

—Es posible que algunas huéspedes del hotel se sientan interesadas en participar —añadió la señora Whittemore, que enseguida apoyó la idea.

—Sí, eso es, puede incluir en su oferta de actividades del hotel un club de lectura —insistió de nuevo Olympia.

—Les agradezco su interés por los servicios de mi hotel. Pero me extraña su propuesta. Si no recuerdo mal, cuando al principio se decidió reunirnos en casa de la señora Odell, yo les había ofrecido el hotel. En aquel entonces ustedes alegaron que los días de lluvia harían desistir a muchas de caminar poco más de media milla. Me pregunto qué les ha hecho cambiar de opinión.

—Damos mucho trabajo a la señora Odell. Cada vez que vamos, se ve obligada a preparar una tarta y a servirnos el té —alegó la señorita Whittemore.

—En el hotel podemos aprovechar el servicio de restauración —se sumó Olympia Larraby en defensa de la propuesta.

—Pero la señora Odell lo hace encantada, ¿no han pensado que podría ofenderse si cambiáramos el sitio de reunión?

—No sé por qué se niega, seguro que su padre agradecería el negocio —respondió Olympia.

—No me niego, sólo digo que me sorprende su propuesta y que deberíamos consultárselo a la señora Odell.

—Yo me encargaré de decírselo —intervino la señorita Whittemore—. No tema por eso.

Y, como enseguida vieron que Blake se encontraba en el embarcadero, nuevamente contra la voluntad de Tess, varias expresaron su deseo de acercarse al lago. Cerca de allí, había varios arbustos de gardenias y las últimas flores que habían resistido al verano ya se estaban marchitando. Tess sintió esa misma sequedad en su interior.

XI

⚮

La hija del señor Gardner sentía vergüenza de su sexo al comprobar la falta de decoro que mostraban sus acompañantes. Se pavoneaban sin ningún pudor cuando se acercaban al lugar donde se encontraba Blake, aunque a la vez jugaban a fingir que no tenían ningún interés en él. Maud notó el apuro de Tess y la agarró de un brazo, como para intentar mostrarle su apoyo, pero ninguna de las presentes estaba por la labor de evitar su sensación de bochorno.

Blake era consciente de la atención que despertaba, pero, como si la cosa no fuera con él, continuó sacando uno de los botes que se hallaba varado para comprobar su estado.

No fue la señorita Whittemore, sino la señora Dobbin, la primera en dirigir la palabra a Blake para regocijo de casi todas.

—Nos alegra mucho saber que ha encontrado trabajo.

Las hermanas Larraby, poco dadas a relacionarse con personas de clase inferior, mostraron una sonrisa que aumentó el nerviosismo de Tess.

—Yo sospeché en todo momento que tendría suerte –añadió la señorita Whittemore.

Blake dejó un momento su trabajo, las miró, al principio sin decir nada y, luego, se quitó el sombrero y les dio las gracias por el interés. Parecía que no iba a añadir nada más, pero distinguió la expresión incómoda de Tess y entonces sonrió y, de nuevo, dirigiéndose a las otras damas, comentó:

—¿Les gusta pasear en bote?

—¿Quiere que subamos todas? —se sorprendió Olympia Larraby.

Tess no pudo evitar fijarse en lo guapa que se veía Olympia, al igual que su hermana Gwyneth, y se notaba a todas luces que ambas se habían acicalado especialmente para aquella ocasión. Eso la enrabietó aún más. Seguía sin entender cómo la presencia de Blake lograba tal influencia sobre ellas y la sonrisa que él le dedicó a Olympia acabó de sulfurarla.

—No será posible hoy. Antes, hay que comprobar su estado. Además, amenaza lluvia. Pero si alguna de ustedes decide almorzar en el hotel el próximo domingo, ya estarán listos.

—¿Quiere decir que, si almorzamos aquí, usted mismo se encargará de pasearnos en bote?

—Eso he dicho. Pero me temo que tendrá que ser de dos en dos. Y que no sea un día de lluvia, por supuesto.

—El embarcadero es de uso exclusivo para los clientes del hotel —se entrometió Tess, consiguiendo que las demás la miraran con animosidad.

—Y si las damas almuerzan aquí, se convierten en clientes del hotel —la contradijo Blake, con el mismo tono que si hubiera hablado con un subordinado en lugar de hacerlo con la hija del dueño.

—Me refería a huéspedes —matizó Tess y, sintiendo la presión de las miradas de sus acompañantes, procuró suavizar su tono—. Deben entender que si estuviera abierto a todo el mundo, los que pagan por hospedarse en el hotel podrían sentirse ofendidos… pero hablaré con mi padre, a ver si puede hacer una excepción.

—¡Oh, gracias, señorita Gardner! —casi gritaron al unísono mientras Maud la compadecía con la mirada.

Blake mostró nuevamente esa sonrisa que tanto molestaba a Tess y fue la gota que colmó el vaso para que volviera a sentirse humillada.

—Si me disculpan, hay otros asuntos que también debo hablar con mi padre —comentó, a modo de pretexto, antes de irse, aunque sólo Maud y Blake la escucharon.

El resto continuó al lado del embarcadero, buscando otros pretextos para conversar con Blake.

Tess se dirigió hacia el hotel y Maud la siguió.

—No deberías demostrar que te molesta o darás pie a las habladurías de la señorita Whittemore.

—¿Habladurías sobre mí? ¿No son ellas más merecedoras de protagonizar habladurías que yo? ¿Has visto cuánta desfachatez?

—Vamos, Tess, la señorita Whittemore podría pensar que estás celosa.

—¿Celosa? —Se detuvo un instante para mirarla a los ojos— ¿De Blake? ¡Por mí, pueden repartirse un trocito entre todas! ¡Lo que estoy es avergonzada!

—Yo no he dicho que estés celosa, te conozco muy bien y sé qué es lo que te pasa. Pero reconoce que pueden malinterpretarlo. En realidad, ese hombre es guapísimo. Ahora entiendo por qué insistían tanto en venir.

—¡Interpretarán lo que quieran de todos modos! Pero, sin duda, a ninguna de ellas se le ocurrirá cuestionarse su falta de decoro. Si la señorita Grace viera esto…

La señorita Grace había sido la institutriz de las hermanas Larraby y Maud hubo de admitir que su amiga tenía razón. El comportamiento de aquellas mujeres resultaba lamentable.

—Está bien. Regresaré con ellas porque no tengo otro remedio, pero espero que no le des mayor importancia al asunto. Al fin y al cabo, son ellas las que exponen su reputación.

—Espero que al menos tú no caigas bajo su influencia.

—Me hace ilusión el viaje a Londres. Si no fuera así, no podría prometerte nada —trató de bromear.

Tess entró sola en el hotel con el deseo de que de repente empezara a llover y se dirigió decidida al despacho de su padre. Lo encontró allí por casualidad, porque justo en ese momento el señor Gardner se estaba poniendo una chaqueta para salir.

—Lo siento, Tess —dijo a su hija en cuanto la vio entrar—. No sabía que la relación entre el señor Harding y la señorita Morris estaba tan avanzada. Pensé que aún era posible que…

La mirada enfurecida de su hija lo hizo callar.

—¿De qué habla? –Se sorprendió ella–. ¿Acaso había invitado al señor Harding con el propósito de… ¡Oh! ¡No me lo puedo creer! ¡No tiene usted remedio!

—¿Por qué te ofendes? ¡El señor Harding no ha cumplido cuarenta años! ¿Qué objeciones le pones?

—¡Todas las del mundo, padre, a cualquier persona que escoja usted para mí! ¿No puede dejarme en paz? –respondió con grandes dosis de ira.

—¿No puedes entender que sólo procuro cuidar de ti? ¿Que no quiero que te veas obligada a cruzar los océanos por el mero hecho de que no has conseguido pescar a ningún hombre de Horston? Sé que estás comprometida con el australiano y aún puedo evitar que ocurra –replicó indignado, aunque de inmediato hizo un esfuerzo por tranquilizarse–. Tess, cariño, ¿no ves que lo hago con la mejor de las intenciones?

Ella trató de dominarse y no recaer en una discusión repetida una y otra vez y se centró en el motivo que la había llevado hasta allí.

—Mientras usted sólo se preocupa de inmiscuirse en mis asuntos, hay alguien que también lo hace en los suyos –le dijo procurando provocarlo.

—¿A qué te refieres?

—A su protegido: el señor Blake. Está cambiando a su arbitrio las normas del hotel. Ahora pretende que los que no son huéspedes también puedan disfrutar de los botes del embarcadero.

—¡Ah!

—Acaba de ofrecerse a pasear a la señorita Whittemore y sus amigas el próximo domingo a cambio de que almuercen aquí. Como ve, debería cuidar más sus asuntos y olvidar los míos. Ese hombre nos traerá problemas, se lo advierto desde ya.

—Sí, sí, ya sé. Yo lo autoricé. ¿Y qué dicen ellas? ¿Vendrán a almorzar?

—¿Lo autorizó? –preguntó con expresión desencajada y sin dar crédito–. ¿Y no me lo había comunicado? Una vez más, padre, por su culpa acabo de hacer un ridículo espantoso.

—Me olvidé de decírtelo, Tess –se defendió el señor Gardner mientras veía a su hija abandonar el despacho–. ¡Tess! ¡Tess!

Ella cruzó enfadada el vestíbulo y subió por las escaleras hasta llegar a sus estancias. En cuanto estuvo en su habitación, no pudo evitar asomarse a la ventana y ver que las mujeres continuaban conversando con Blake. De vez en cuando reían ante alguna ocurrencia suya o quizá por los nervios que les suponía esa situación.

Tess corrió las cortinas como si así pudiera negar lo que estaba sucediendo. Luego, se sentó ante su secreter y abrió un cajón. Sacó unas cuartillas y una estilográfica y comenzó a escribir:

Admirado señor Farrell:
Espero que en el momento de recibir esta carta se encuentre usted bien. Me gustaría poder contarle lo mismo sobre mí, pero tengo la mala suerte de comunicarle que mi estado de ánimo no es el mejor que una pueda desear. No se trata de ningún problema de salud, no tema por eso. Es más bien una cuestión anímica. Aquí se acerca el invierno y me siento apresada por la melancolía. Me ha hablado usted tanto del paisaje australiano que ardo en ansias por conocerlo. ¿Cuánto tiempo más cree que debemos cartearnos para adoptar una decisión?

De pronto, se detuvo y supo que su tono no era el correcto. Arrugó el papel, tomó otra cuartilla y volvió a comenzar.

Admirado señor Farrell:
Sé que le escribí hace sólo unos días y usted pensará que no tengo nada nuevo que contarle. Es cierto. Si nos referimos a sucesos, por aquí, todo sigue su curso…

De pronto tuvo una idea que consideró brillante y nuevamente cambió de cuartilla.

Admirado señor Farrell:
Lo último que pretendo con esta carta es crear algún tipo de alarma en usted, pero me veo en la necesidad de contarle mis angustias. Pienso que la confianza, al igual que el respeto, es la clave para el buen funcionamiento de un matrimonio… si alguna vez llegamos a comprometernos. Por eso me permito confesarle mis miedos con absoluta sinceridad.

No sé si a Australia habrán llegado noticias de un asesino en serie que hasta ahora ha cometido sus crímenes durante los últimos meses en el barrio londinense de Whitechapel. Bien, si no sabe nada del caso, le cuento que se trata de alguien sin escrúpulos que abre en canal a sus víctimas y les saca las tripas. Todas las mujeres de Londres están aterrorizadas, a pesar de que la policía piensa que el asesino ha huido de la ciudad tras el reciente descubrimiento de nuevos cadáveres.

Tess pensó que esto último no era del todo cierto, ya que no había oído por ningún lado la sospecha de que el criminal hubiera abandonado Londres. Sin embargo, pensó que añadirlo a la carta ayudaba a sus propósitos y continuó sin cambiarlo.

Esta marcha de la capital del asesino en cuestión coincide con la llegada a Horston de un forastero que, según parece, ha tenido problemas con la justicia.

Reflexionó un momento sobre la verdad de esa afirmación y recordó que a ella se lo había parecido. Así que siguió, sin dedicar ni un solo remordimiento más a si estaba mintiendo.

Una vecina de Horston, mujer prudente donde las haya, está convencida de que el asesino de Londres y el señor Blake, que es el nombre del forastero, son la misma persona. Imagínese el temor que esto ha ocasionado en nuestra pequeña comunidad. Desde que le escribí la última carta, no he vuelto a saber lo que es el placer de dormir sin angustias ni pesadillas.

Sé que usted, de manera muy cabal, me aconsejará que no salga sin compañía y que no haga nada que me exponga a caer bajo sus garras, pero ¡ay! me temo, señor Farrell, que no tengo escapatoria. Mi padre, contra el sentido común y todas las advertencias recibidas, ha decidido contratar al señor Blake como empleado del hotel.

Comprenderá usted el motivo de esta carta, necesito expresar mi miedo a morir de forma temprana y abominable si ese hombre continúa cerca de mí y, le aseguro, que la perspectiva es la de que permanezca aquí mucho tiempo. Mi padre lo defiende ante cualquier insinuación y no se preocupa en absoluto por mi seguridad. Tengo miedo a salir de mi habitación, pero también a permanecer en ella, ya que se encuentra en un piso alto y no podría escapar por la ventana si él se atreviera a forzar la puerta.

En este punto se detuvo. Se levantó para acercarse de nuevo a la ventana y apartó lo justo la cortina para ver que las mujeres ya se marchaban y que Blake continuaba con su labor en los botes. Pero antes de que ellas desaparecieran del todo, Olympia Larraby volvió un momento atrás para decirle algo más al forastero. Por lo que parecía desde aquí, él le contestó de forma que parecía amable y Olympia sonrió de esa manera que sabía que gustaba tanto a sus interlocutores. Luego, le dedicó una mirada entrecerrada y, a continuación, regresó con las demás.

Tess maldijo en voz baja que no hubiera llovido, volvió a coger la estilográfica y retornó a la cuartilla.

Siento la urgencia de abandonar este lugar. Temo morir destripada o consumida por la angustia.
Suya, si usted quiere,

Theresa Gardner

Tras firmar la carta, Tess siguió insatisfecha. El correo entre Inglaterra y Australia era muy lento y, finalmente, decidió que resumiría el contenido de estas cuartillas en un telegrama, así que las arrugó y las echó a la papelera. Al menos, esta escritura le había servido para desahogarse.

XII

Al día siguiente, el señor Gardner observó a su hija salir del hotel en dirección a Horston. Era algo temprano todavía para la reunión del club de lectura, pero él no sabía que Tess pensaba pasar primero por la oficina de Correos. La falta de comunicación entre ambos iba creciendo.

En cuanto ella se hubo alejado, el señor Gardner bajó las escaleras de la entrada y tomó el camino hacia el embarcadero. Blake se hallaba en la orilla arreglando los botes y dejó de trabajar en cuanto el dueño del hotel llegó hasta él.

—¿Cuándo cree que estarán listos? –le preguntó.

—Pienso que, si no vuelve a llover, el jueves habré terminado con todos. Estaban peor de lo que usted suponía. De no arreglarse, creo que podría haberse producido algún accidente.

—Pensé que Woods era más diligente.

—Mire –le dijo señalando una parte crujida del bote–: Listo para convertirse en un boquete.

El señor Gardner se agachó para observar una parte de la madera y pasó su mano sobre ella.

—No quiero ni pensar en la mala fama que nos hubiera reportado eso. Ya bastantes complicaciones he sufrido con el tema de la carne.

—¿Tiene algún lugar a cubierto donde se puedan guardar los botes?

—¿Por qué íbamos a querer guardarlos en un sitio cubierto?

—Creo que sería una buena ocasión para darles una pátina de barniz. En algún lugar deberán secarse y yo juraría que volverá a llover. —Le hizo ver y, al tiempo que señalaba unas nubes al norte, tras un instante de silencio, le comentó—: He visto que el señor Adams se hospeda en el hotel.

—¿El señor Adams? Sí, efectivamente está aquí. Pero no es un hombre al que le apetezca que se conozcan sus movimientos. La dama que lo acompaña no es su esposa.

—Sí, ya he podido notarlo.

—¿Conoce usted al señor Adams? —se extrañó Gardner.

—He oído hablar de él. ¿Va a quedarse mucho tiempo?

—Llegó ayer. Tiene reservadas dos semanas. ¿A qué viene su interés?

—Es un gran aficionado a los naipes —dijo Blake mirándolo fijamente a los ojos.

Gardner entendió su insistencia, pero mostró una expresión poco convencida.

—Necesitaríamos más jugadores. He estado pensando sobre el asunto y sé que en Culster tenemos al señor McKay, que viaja a menudo a Londres sólo para acudir a casinos. Pero no se me ocurre nadie más.

—Un casino siempre da dinero.

—Pero la idea, si no recuerdo mal, era la de improvisar alguna partida para atraer al tenista, no la de montar un casino. Yo soy un mal jugador. Además, las pistas de tenis no están ni empezadas.

Blake lo miró sin decir nada.

—¡Ah! ¡Ya entiendo! ¡Usted sabe jugar! ¿Acaso fue ese el motivo que lo llevó a abandonar Londres?

—Hace mucho que no juego, pero se me daba bien.

Gardner frunció el entrecejo y le preguntó:

—¿En qué está pensando exactamente, Blake?

—Usted encárguese de avisar al señor McKay y, al menos, a dos más. A cambio, si me presta quinientas libras, yo ganaré otras tantas. Con eso y mi ayuda, podrá empezar la instalación de un elevador.

—¿Espera que le preste quinientas libras?

—Solamente una noche. Cuando acabe la partida, yo le entregaré mil.

—¿Y si pierde?

—Si pierdo, le deberé mil libras. O, lo que es lo mismo, trabajaré un año gratis para usted sin recibir nada a cambio.

—¿Piensa que su trabajo cuesta tanto dinero? –le reprochó irónicamente.

—Usted sabe que mi trabajo lo vale. –Al tiempo que lo decía, le dedicó una mirada desafiante que hizo dudar a Gardner, a pesar de lo exagerado de la cantidad–. Para ganar, hay que poder permitirse apostar fuerte.

—Es usted muy arrogante, Blake. No sé si se trata de un exceso de confianza o realmente cree en sus cualidades. ¿Cómo puedo saber que después de entregarle las quinientas libras no saldrá huyendo?

—En todo momento estaré localizable. Usted no tiene que entregarme el dinero antes de que entre en el salón de juego y, en cuanto salga, me dirigiré directamente a su despacho para pagar mi deuda. –Como vio que él aún dudaba, añadió–: Puede pedirle a un par de hombres que me vigilen, aunque, si fuera listo, yo de usted me dedicaría a poner vigilancia a los demás.

—¿Por qué motivo?

—Hubo una trifulca hace dos años en la que estaba involucrado Adams.

—¿Hizo trampas?

—No pudo probarse, pero siempre hay que ser suspicaz en casos así.

—¿Y cree que el señor McKay aceptará la invitación?

Blake disfrutó soltando una risotada. A continuación, añadió:

—No debe invitarlos, Gardner, ni a McKay ni a los otros. Procure que se enteren de que va a haber una partida importante, casi como si se tratara de un secreto. Ya verá cómo ellos lo buscan.

Gardner lo contempló admirado.

—Sabe usted mucho de estos temas…

—Es posible. ¿Acepta el acuerdo?

Ahora fue Gardner el que intentó forzar una risotada, pero no lo consiguió. Finalmente, ya más serio, respondió:

—No voy a contestarle ahora. Deme al menos un día para pensarlo.

—El tiempo es dinero —afirmó Blake y enseguida añadió—: De acuerdo, respóndame mañana. Pero si dice que sí, necesitaré un traje.

—Si se compra un traje, que corra a cuenta de las quinientas libras.

—Me parece justo. ¿Hay algún sitio donde pueda comprar uno ya hecho sin necesidad de pasar por un sastre?

—La señora Delaney tiene una tienda de modas. Antes sólo era de prendas femeninas, pero desde que se ha asociado con la señorita Whittemore, también tiene una sección de caballeros, aparte de la dedicada exclusivamente a sombreros.

—Bien, como ya le he dicho, terminaré con los botes el jueves. Podemos organizar la partida el sábado por la tarde.

—¿Tan pronto?

—Le repito que el tiempo es dinero.

—Ya veo que confía en que le diré que sí. Por cierto, ¿sabe usted algo de elevadores?

—Lo suficiente para abaratarle mucho los costes si decide instalarlo.

—Es usted muy prepotente.

Blake se limitó a quitarse el sombrero de forma irónica y a sonreír. Gardner pensó que era un granuja inteligente y se despidió para regresar al hotel.

—Otra cosa —lo interceptó Blake antes de que se marchara.

—Soy todo oídos.

—Si gano esas mil libras…

—Quinientas. Debe ganar quinientas para devolverme mil —matizó Gardner.

—Si gano esas quinientas libras, este es el último trabajo que hago de mozo. A partir de la semana que viene, me convertiré en su asesor.

—Además de prepotente, es usted muy ambicioso. ¿Por qué piensa que voy a aceptar algo así?

—¿No querrá que los clientes vean que han jugado al póquer con un empleado?

Gardner quedó pensativo y finalmente tuvo que darle la razón.

—¿Cree que puede ganar quinientas libras cada semana?

—Si los pelamos siempre, enseguida nos quedaremos sin timba. Usted estipule cuánto quiere conseguir de promedio cada mes y yo decidiré cuándo gano y cuándo pierdo.

—¿Cuánto cree que es lo razonable?

Blake sonrió.

—Me alegro de que ya me trate como un asesor. Como supondrá, eso depende de hasta dónde esté dispuesto a llegar. Cuando tome una decisión, ya lo hablaremos.

—Bien, pero quiero que sepa una cosa, Blake. Nada de trampas. No quiero que puedan acusarme de estafador.

—Descuide, todo se hará sin trampas… si me deja hacerlo a mi manera.

—¿Cuál es esa manera?

—¿Me está pidiendo que le cuente mis secretos, Gardner?

El dueño del hotel volvió a reír. Cuanto más lo trataba, más le gustaba ese tipo.

—Siga con los botes —dijo al tiempo que le guiñaba un ojo.

Luego, regresó al hotel con una prematura sensación de triunfo. Había algo convincente en la seguridad de Blake que no dejaba de influirle de forma optimista. Se preguntó cuál era el pasado de ese hombre, por qué había acabado buscando trabajo en un lugar como Horston y, aunque no le importaba en qué pudiera haber estado metido, sí le intrigaba.

Por unos momentos pensó que el motivo que lo había llevado hasta allí tenía que ver con alguna deuda de juego, aunque cuando el propio Blake comentó que hacía tiempo que no jugaba, no supo por qué, le creyó. Tal vez tuviera problemas con la policía o, simplemente, fuera un asunto con alguna mujer casada. Lo ignoraba y sabía que él no iba a contarle nada, a todas luces se veía que era un hombre hermético, así que no le dio más vueltas al asunto y decidió demorar su juicio sobre Blake a expensas de lo que ocurriera el sábado.

Después, se dirigió a saludar al señor Adams y a su acompañante que, en esos momentos, pasaban por el vestíbulo en dirección al salón.

Habló un rato con ellos y a continuación se dirigió a la zona de servicio en busca de la señora Young. Le pidió que el sábado tuviera reservado un apartado del salón y preparara canapés y una cena fría.

—Pero hágalo con mucha discreción.

Ante la mirada interrogante de ella y temiendo que podría ser más indiscreta en el desconocimiento que sabiendo de qué iba el asunto, le contó lo que tenía previsto.

Y cuando la señora Young conoció sus intenciones, trató de prevenirlo:

—¿Y usted se fía de ese hombre?

—La gente que va de frente me inspira confianza. No es un adulador ni un cobarde y, hasta el momento, ha trabajado bien.

—Pero meterse en temas de juego… ¿Lo sabe su hija?

—Cuanto más tarde en enterarse mi hija, mucho mejor. Espero que usted no se vaya de la lengua.

—Ya sabe que no soy una chafardera, pero me temo que esto originará un nuevo enfrentamiento.

—Ella no tiene en cuenta mi opinión, ¿por qué debería yo contar con la suya?

La señora Young meneó la cabeza en gesto de desaprobación.

—Ya veo que hace más caso a los consejos de un recién llegado que a su propia hija.

—¿Tiene algo que objetar contra Blake?

—Creo que ese hombre traerá problemas.

—¿Qué tipo de problemas?

—Por el momento, ya ha despertado al gallinero de Horston. Las mujeres han decidido que a partir de la semana que viene celebrarán las reuniones del club de lectura en el hotel en lugar de hacerlo en casa de la señora Odell.

—¿Y el motivo es Blake? –preguntó al tiempo que reía socarronamente–. Entonces, es un mérito más que le añado. –Y, con afán de escandalizar a la encargada de cocina, exclamó–: Tiene razón, parece un buen semental. Si el tipo tiene la capacidad de gustar a las mujeres, eso es bueno para mí. Como bien sabe, señora Young, no cuestiono el motivo que empuja a los clientes a venir aquí, lo importante es que vengan, y que vengan muchos.

—Espero que no provoque problemas.

—Usted limítese a no mencionarle nada a mi hija de lo que yo le he comentado, ese es el único problema al que temo. Por cierto, cuando la vea, dígale que quiero que mañana cene en el comedor principal. Acabo de invitar a los señores Adams a compartir mesa. Pensaba hacerlo hoy, pero por lo visto tienen un compromiso con el señor Harding.

—¿Querrá decir el señor Adams y su amante?

—¡No me meto en la vida de mis huéspedes! ¿Me ha tomado por la señorita Whittemore?

—Como quiera, señor Gardner. Usted sólo busca mis consejos cuando le interesa. Pero sepa que a su hija no le va a gustar enterarse por terceros de que ahora incentiva el juego.

XIII

〇〜〇

$\mathfrak{E}$l jueves por la tarde, mientras se arreglaba antes de cenar, Tess pensaba que no le apetecía relacionarse con un hombre casado y su amante. No sólo se trataba de una cuestión moral, sino que eso le hacía recordar las continuas traiciones de su padre a su madre y, de alguna manera, pensaba que cenar con el señor Adams y aquella mujer era como dar su consentimiento al adulterio.

Sin embargo, debía reconocer que el señor Adams era agradable y su acompañante se mostraba discreta y prudente. Su padre había insistido en que requería su presencia y lo cierto era que consintió porque no le apetecía discutir.

Últimamente se sentía algo alterada y ni siquiera lograba dormir de forma reparadora. La pasada noche se había desvelado en varias ocasiones y en una de ellas decidió ponerse la bata y abrir la ventana a pesar del frío. Se quedó allí sin concretar la mirada en ningún punto, como si quisiera perderse en la oscuridad, hasta que se dio cuenta de que, sin pretenderlo, estaba buscando el cobertizo en el que se alojaba Blake. Le molestó darse cuenta de ello, y mucho más porque desde su ventana no podía verse aquel lugar. Procuró fijar sus ojos en el bosque y recordó, también sin querer, el momento en que él la había ayudado a levantarse tras su caída. Se estremeció con ese pensamiento y apretó más la bata en torno a su cuerpo, como en un abrazo.

Pero de pronto sintió calor, un calor que no reconocía y que le agradó. Enseguida rechazó esa sensación de deleite, pues se sintió cercana al desvergonzado alboroto de las otras mujeres que tanto le disgustaba. No en vano, ella había intentado actuar de forma contraria a las demás y durante aquellos días evitó acercarse al embarcadero, donde sabía que se encontraba Blake. También se aseguró de que él no se hallara en el comedor del servicio antes de entrar cuando tenía hambre y las dos últimas cenas las había disfrutado sola en su habitación. Se sentía orgullosa de haber logrado evitarlo durante un día y medio, pero aquella noche, ante la ventana, sus ojos lo buscaban y ella notaba aún sus brazos rodeándola y alzándola del suelo.

Esa sensación que no era nueva hizo que el jueves también lo hubiera estado evitando y así pensaba continuar. Sin embargo, no reconocía que la obligación de estar atenta a su presencia era un modo de pensar en él constantemente.

Ahora se sentía satisfecha por haber pasado un día más sin cruzárselo y, cuando bajó al comedor, se propuso mostrarse firme ante cualquier impertinencia de su padre. El señor Adams y su acompañante aún no habían llegado cuando ella entró, pero el señor Gardner ya se hallaba en su mesa habitual y bromeaba con unos clientes que habían pasado a saludarlo. Tess se dirigió hacia ellos y lo último que esperaba en ese momento era ver a Blake cenando en otra mesa, compartiendo lugar con los huéspedes. Iba arreglado, bien afeitado y llevaba traje y corbatín y, por eso, en un primer momento le costó reconocerlo, pero la mirada osada y la sonrisa socarrona que él le dedicó no dejaban lugar a dudas de que Blake se sentía cómodo en aquel lugar.

Tess no pudo disimular su sorpresa, aunque enseguida le retiró la mirada y continuó hacia su padre con intención de ignorarlo. En aquel momento, también entraban el señor Adams y su amante, así que el señor Gardner se despidió de sus conocidos y se dirigió hacia los recién llegados.

—Señor Adams, señorita Stuart, estoy encantado de que hayan aceptado mi invitación. Supongo que ya conocen a mi hija, Tess, mi tesoro más preciado.

—Sí, claro, claro, llevo siete años viniendo aquí y he podido ver los cambios en la niña que era cuando la conocí. Está usted preciosa, señorita Gardner.

Tess agradeció el halago con un tímido gesto.

—Bueno, ya no es tan niña. Espero casarla antes de que siga cumpliendo años —añadió Gardner.

El comentario molestó tanto a Tess como al señor Adams y la señorita Stuart y, aunque lo intentó, no logró disimular su sorpresa, pero el señor Gardner no se dio cuenta.

—Estoy convencido de que tendrá muchos pretendientes —comentó el señor Adams, mientras ofrecía asiento a su acompañante y, luego, se sentaba él.

Quiso la casualidad que tanto la señorita Stuart como Tess quedaran en el lado desde el que podían ver a Blake. La hija del señor Gardner se propuso no dirigirle ninguna mirada, aunque pudo notar que él sí las observaba. La incomodidad que eso le produjo hizo que no estuviera atenta a la conversación, por lo que, aparte de lugares comunes e intercambios de frases cordiales, poco más intervino durante la cena. Se preguntaba en todo momento qué hacía Blake allí, de dónde había sacado esa ropa y en cómo reaccionaría su padre cuando lo viera, pues hasta el momento parecía que no se había percatado de su presencia. Sin embargo, él parecía sentirse cómodo, aunque se sentara solo, como si ese fuera el lugar que le perteneciera.

La que sí se había fijado en Blake era, sin lugar a dudas, la señorita Stuart. Aunque ya había rebasado la treintena, se trataba de una persona que se cuidaba y sabía sacarse partido. Era una de esas mujeres que lucían más bellas en la edad madura que durante la juventud y, además, era consciente de su atractivo y sabía cómo usarlo. A Tess le molestó que ella devolviera las miradas a Blake y, de hecho, la señorita Stuart también estuvo ausente de la conversación en algún momento por culpa de aquel forastero. Resultaba inaudita esa actitud delante de su propio amante, aunque el señor Adams parecía tan interesado en la conversación de Gardner que en absoluto se daba cuenta.

Tess procuró escuchar qué era aquello tan interesante que decía su padre para que atrajera toda la atención de su interlocutor y, justo en aquel momento, el señor Gardner comentaba:

—Está bien, pero será un favor personal por los años que lleva usted siendo mi huésped. No suelo hacer esas cosas, pero, ante su insistencia, en cuanto acabemos el postre, se lo presentaré.

—No sabe cuánto se lo agradezco.

Tess no supo a quién se referían hasta que su padre se levantó unos minutos después, el señor Adams hizo lo propio y ambos se dirigieron a la mesa de Blake. Este se levantó para saludarlos y, luego, los invitó a que lo acompañaran.

—¿No le parece un agravio? –le preguntó la señorita Stuart, que acababa de comentarle algo a lo que ella no había estado atenta–. Le pregunto que si no le parece un agravio que los hombres nos dejen aquí plantadas para sentarse en otra mesa –insistió, y en su queja había más burla que enfado.

—Mi padre nunca ha sido muy docto en modales –respondió incómoda Tess y, a la vez, sorprendida por la acción de su progenitor.

—¿Conoce usted a ese caballero? –preguntó la mujer, sin disimular su interés hacia Blake.

A Tess le sorprendió escuchar la palabra *caballero* en referencia a él, pero hubo de reconocer que daba esa apariencia.

—Me es familiar, pero no lo conozco –mintió.

—Es extraño, pensé que usted sabía quién era cada huésped.

—Entra y sale tanta gente que a veces es difícil saber quién es quién. No recuerdo que se haya hospedado en este hotel antes de ahora.

—Creo que es un tipo difícil de olvidar. Si hubiera estado aquí antes, lo recordaría. No es de los que pasan desapercibidos.

—Es curioso porque, hasta ahora, yo ni me había dado cuenta de su existencia.

La señorita Stuart le dedicó una sonrisa que demostraba a todas luces que no se creía una palabra de esta afirmación. Y eso fue la gota que colmó el vaso en la paciencia de Tess, que también se levantó de la mesa.

—Lamento dejarla sola en estos momentos, pero hace unas noches que me asalta una terrible jaqueca y sólo me alivia dormir. Espero que el señor Adams y mi padre regresen pronto.

La señorita Stuart estuvo a punto de objetar algo, pero Tess se marchó tan deprisa que se lo impidió. Salió del comedor sin mirar a la mesa de Blake y, cuando se encontró en el vestíbulo, decidió salir al jardín, a pesar del frío, para despejar un poco sus confusos pensamientos.

Era obvio que su padre conocía la presencia de Blake entre los huéspedes, pues se había levantado para presentárselo al señor Adams. Este hecho le producía muchas dudas, pero más aún el interés que pudiera tener un caballero de Londres en conocer a Blake. ¿Lo presentaría su padre como un empleado recién contratado? ¿O es que él sabía algo más de Blake que ella ignoraba?

Por un momento, estuvo tentada de regresar al comedor y averiguar de qué estaban hablando, pero lo cierto es que no le apetecía en absoluto quedar en evidencia. Mientras su pensamiento se enredaba cada vez más, se dejó llevar hasta el embarcadero y se detuvo a observar un agua que se mecía con el viento que empezaba a levantarse. Lucían pocas estrellas y la luna se estaba escondiendo tras unas nubes que cada vez eran más densas por la parte norte. Echó de menos un abrigo o algo con lo que cubrirse, pero por otro lado no le apetecía regresar y encontrarse con su padre o con Blake. Agradecía la intimidad que le daba aquel lugar, por lo que se sentó sobre uno de los botes que se encontraba sobre la hierba girado del revés.

Permaneció allí más de media hora, con sus dudas, miedos y algún anhelo rebelde que se filtraba a su pesar, hasta que un estornudo la obligó a tomar conciencia de que resultaba imprudente exponerse a la intemperie por más tiempo. Antes de levantarse, sintió un pequeño temblor al notar que un brazo ajeno le tendía un pañuelo y, sin cogerlo, alzó los ojos para averiguar quién se lo ofrecía.

—¡Usted! —exclamó al ver allí a Blake— ¿Cuánto hace que está aquí?

—Lamento haberla asustado —respondió él al tiempo que escondía el pañuelo rechazado y se sentaba al lado de Tess—. He llegado hace un minuto.

—¿Qué quiere de mí?

Él sonrió de ese modo que a ella tanto la desarmaba. Luego, añadió:

—En realidad, y no es por lastimar su vanidad, venía a ver si los botes estaban asegurados. Parece que va a haber tormenta.

—¿Piensa arrastrar los botes con ese traje? —preguntó ella mientras se apartaba un poco de él, que se había sentado demasiado pegado—. ¿De dónde lo ha sacado? ¿Se lo ha robado a algún cliente?

—Si quiere que le preste la chaqueta, hay modos más amables de pedirlo —respondió Blake, mientras se quitaba la levita y la colocaba sobre los hombros de ella.

Tess intentó rechazar el detalle aduciendo que debía marcharse, pero él la sujetó un momento por el brazo y dijo:

—¿Está enfadada por lo de la partida?

—¿Qué partida? —preguntó Tess, sentándose de nuevo y con mirada interrogante ante esas palabras.

—¿No se lo ha contado su padre?

—Parece ser que usted tiene más comunicación con mi padre que yo. —Y, recordando que el señor Gardner acababa de tratarlo en público como si fuera un huésped más, le preguntó—: ¿Cómo es que le ha consentido cenar en el comedor y vestido así? ¿Traman un nuevo secuestro?

Blake respiró profundamente y alzó los ojos hacia el cielo. A continuación, con tono suave, dijo:

—Hable con él. Tiene ideas para mejorar el negocio.

—¿Desde cuándo mi padre comenta con usted los asuntos del hotel? —preguntó indignada.

—¿También va a culparme a mí de la relación que mantiene con él? —le dijo Blake comenzando también a enfadarse—. Creo, señorita Gardner, que siente una extraña necesidad de ver en mí más defectos de los que poseo.

—¿Usted cree? —se defendió ella encarándolo.

—Es obvio que busca pretextos para aborrecerme.

—¿Acaso cree que no tengo los suficientes como para necesitar otros nuevos? Tiene usted muy mala memoria.

—Ya que me pregunta mi opinión, le diré que estoy convencido de que me rehúye por otros motivos —dijo mirándola fijamente con sus hipnotizantes ojos verdes.

—¿Y qué motivos son esos, según usted? —Cuando vio un brillo de soberbia en su mirada, se arrepintió de inmediato de haber formulado aquella pregunta.

—No es a mí a quien teme sino a usted misma. ¿Cuánto tiempo hace que no se siente mujer? —manifestó desafiante.

Tess levantó una mano para propinarle una bofetada, pero él le sujetó la muñeca a tiempo y la mantuvo agarrada mientras acercaba su rostro al de ella.

—Sí, eso es. Se ha ruborizado —comentó escrutándola—. Y en estos momentos teme que vaya a besarla. O lo desea…

Ella removió el brazo para tratar de zafarse y asestarle la bofetada que había visto frustrada, pero él tenía más fuerza y se lo impidió. No separó su rostro del suyo y con la otra mano tocó su boca. Ella contuvo la respiración mientras él bordeaba sus labios con la yema del dedo. Se sentía paralizada, estremecida y la corriente de calor que la atravesaba durante esos instantes hizo que aún se supiera más indefensa. El hechizo permaneció hasta que él dijo:

—Pero no tema, no voy a demostrarle que tengo razón. No la besaré para que no descubra que eso es lo que estaba deseando. No sé si su orgullo lo resistiría.

Como en esos momentos él aligeró la presión sobre su muñeca, ella ahora sí consiguió liberarse de su sujeción y se levantó de inmediato. Con rabia, se quitó la levita que él le había colocado sobre la espalda y se la arrojó a la cara, aunque él reaccionó enseguida y la cogió al vuelo.

—Usted no sabe quién soy, señor Blake. Nunca más vuelva a tratarme con ese descaro.

Y mientras emprendía el regreso hacia el hotel, no oyó que él decía:

—Usted es una mujer. Aunque quiera olvidarlo, es toda una mujer.

XIV

❧

La tormenta descargó durante la noche y amaneció con lluvia y con una luz plateada que cubría el parque y los bosques. Tess se despertó tarde, después de una noche en que el viento, o eso quiso pensar, no le había permitido conciliar el sueño hasta pasadas las dos y media.

Bajó a desayunar disimulando un bostezo y la señora Young le preguntó si se encontraba bien cuando, al cabo de un momento, la oyó estornudar.

—Hoy no conviene que salga. Promete un tiempo de perros.

—Tal vez mejore a lo largo del día –protestó ella.

—¿Ha visto los nubarrones negros que vienen del norte? Me temo que no son unas nubes pasajeras como las del otro día y que no podrá montar en bicicleta durante unos días. Todo quedará embarrado.

Tess no contestó. Durante el resto del desayuno, estuvo callada y pensativa. Al terminar, se dirigió al despacho de su padre y lo encontró hablando con el señor Young que, tras saludarla, abandonó el lugar. Cuando este cerró la puerta, Tess se acomodó ante la mesa de su padre y le dijo:

—Creo que tiene muchas cosas que contarme.

—¿A qué te refieres, Tess? —preguntó el señor Gardner, tratando de hacerse el despistado.

—Ayer vi que no sólo no le sorprendía que el señor Blake pareciese un huésped más, sino que usted ya sabía que se hallaba en el comedor principal. ¿En serio cree que es procedente que el servicio alterne con la clientela?

—¡Ah! ¡Eso! Bueno, verás, el señor Woods ya se encuentra bien, así que ha retomado su puesto en el embarcadero.

—¿Quiere decir que ha despedido a Blake y ahora se hospeda aquí? —preguntó ella como si se sintiera alarmada.

—¡Ejem! Bueno, sí y no, exactamente.

Tess le dedicó una mirada interrogante y reprobadora.

—Quiero decir que ya no ocupa ese puesto, pero sigue trabajando para nosotros. No debes preocuparte, todo está bien.

—Querrá decir para usted —le rectificó—. ¿Y puedo saber por qué, si continúa siendo su empleado, cena en el comedor con los huéspedes?

—Bueno, hija, es que su nuevo puesto lo requiere.

—¿Su nuevo puesto? —se escandalizó.

—Ya sabes que hace tiempo que quiero añadir un elevador al hotel… una cabina que ascienda a los pisos. Parece ser que el señor Blake entiende de esas cosas.

—¿Qué significa exactamente que entiende de esas cosas? ¿Y de dónde va usted a sacar el dinero? ¿Piensa pedir otro crédito?

—No, no, ese es otro tema con el que el señor Blake también me ayudará.

—¿Ah, sí? ¿Acaso planta billetes?

—Son cosas de negocios, Tess. Supongo que no querrás que te aburra con ellas. Seguro que tienes cosas mejores que hacer.

—Aburrido no es un adjetivo que usaría para hablar de usted —comentó con sarcasmo, pero como su padre se limitó a sonreír benévolamente y a continuar revisando la lista de proveedores, ella añadió—: ¿No va a contarme lo de la partida?

Gardner perdió la sonrisa y tosió forzadamente. Luego, sin saber cómo enfocar el asunto, le preguntó:

—¿Cómo lo has sabido?

—Es obvio que no lo he sabido por usted, tal como hubiera preferido.

—Pensé que pondrías objeciones —trató de justificarse.

Tess, que había sacado a colación el asunto de la partida porque se la había oído mencionar a Blake, quedó a la expectativa de que su padre le aclarara el asunto.

—Pues ahora tiene el momento ideal para explicármelo, antes de que lleguen a mí comentarios malintencionados.

—No es nada que pueda considerarse exactamente ilegal... Además, yo no estoy implicado directamente, sólo cedo el sitio.

—¿La sala de billar?

—¿Billar? —preguntó el señor Gardner extrañado—. No, la sala de billar no es práctica para una partida de póquer. He pensado que era mejor utilizar la sala azul, aunque al principio me inclinaba por una *suite*. Al fin y al cabo, habrá muy pocos caballeros.

—¿Póquer?

—¿No lo sabías?

—¡Claro que no! —exclamó alarmada—. ¿Desde cuándo tiene pensado convertir esto en un casino?

—¡Tess! El hotel no es tan rentable en invierno como en verano. El póquer puede ser una buena fuente de ingresos y atraer a nuevos huéspedes.

—¿Y así es como piensa sacar dinero para el elevador? ¿No sabe cuánta gente se ha arruinado con el juego? —preguntó, sulfurándose cada vez más por la tranquilidad con la que su padre hablaba del asunto.

—Hija, cálmate. No corro ningún peligro. Todo el riesgo lo asume Blake. Será él quien juegue y las ganancias serán para mí.

—¿Blake va a darle todas sus ganancias? —preguntó escéptica.

—Me ha prometido quinientas libras.

—¿Y por qué motivo el señor Blake está dispuesto a regalarle quinientas libras?

Gardner trató de explicarle el acuerdo lo mejor que pudo, pero obviando que él mismo prestaría otras quinientas libras a Blake. Como veía que, a pesar de todo, no lograba convencer a su hija, añadió:

—Si hubieras aceptado la propuesta del señor Courtenay, todo esto no sería necesario.

—¡Oh! ¡No vuelva sus decisiones contra mí! ¡Parece que usted no es consciente de la fama que puede acarrearnos el organizar partidas de póquer! —profirió mientras se levantaba.

—Me alegro que te preocupe, porque eso demuestra interés. Pensé que sólo te importaba marcharte a Australia.

—Y pienso marcharme a Australia, padre, en cuanto el señor Farrell me lo pida —respondió en voz más baja, pero no sin cierto tono amenazante.

—Espera, no te vayas, hay algo más —le suplicó el señor Gardner.

—¿Más?

—Los demás deben pensar que Blake es un huésped. Espero que no digas…

—¡Padre! ¡Medio Horston ya sabe que Blake es su empleado! ¿No recuerda a la señorita Whittemore y sus amigas?

—Sí, bueno, eso no tiene por qué ser relevante. Me refiero a los participantes en la partida, como el señor Adams.

—Le aseguro, padre, que no tengo interés en hablar de esa partida con nadie. Cuanto antes la olvide, mejor para mí. Y usted debería hacer lo mismo —dijo al tiempo que empezaba a marcharse, pero una imagen que le llegó a través de la ventana la detuvo un momento.

—Gracias, hija.

Tess se acercó hacia los cristales sobre los que arreciaba la lluvia y, sin darse cuenta, comentó en voz alta:

—¿Qué hacen en el jardín el señor Wayne y Blake bajo este aguacero?

—¿Nicholas Wayne está aquí? —preguntó sobresaltado su padre.

—Sí —respondió sin dejar de mirar—, parece que se dirigen hacia el lago.

El señor Gardner se levantó de su asiento y se acercó a la ventana de inmediato para asegurarse de que su hija decía la verdad.

—¿No se le habrá ocurrido contratarlo precisamente a él para construir pistas de tenis?

Tess contempló a su padre interrogante.

—¿Acaso ese hombre ahora tiene poder para contratar a quien le venga en gana? ¿Ha dicho pistas de tenis? ¿Para qué queremos pistas de tenis?

Pero el señor Gardner no contestó.

—¿Qué hay entre el señor Wayne y usted? —preguntó nuevamente Tess, con distinta curiosidad—. ¿Por qué no me cuenta nada, padre? ¿No ha pensado que tal vez deba saberlo?

—No hay nada que saber sobre Wayne, Tess. Entre él y yo no ha ocurrido nada, pero no entiendo por qué Blake ha tenido que ir a buscarlo precisamente a él.

—¡De cuántas cosas me entero y cuántas ignoro! —le reprochó su hija—. Ahora resulta que Blake está autorizado para hacer contrataciones, organizar partidas y ¿qué más cosas? Y, sin embargo, a usted le extraña que haya contratado al único herrero de Horston.

—Debí haberle advertido, cierto.

—Padre, deje ya de cambiar de tema y dígame qué tiene usted contra el señor Wayne —le exigió.

—Nada en concreto, Tess, créeme. —Pero como su hija lo miró de ese modo en que él sabía que no iba a desistir, finalmente añadió—: Es algo muy lejano y, en realidad, él no tuvo nada que ver. Se trató de un rumor.

—¿Qué tipo de rumor? —insistió Tess, recordando que la señora Young le había dicho lo mismo.

—No vale la pena hablar de ello. Fue el año del crimen. Eso originó muchas suspicacias entre todos los vecinos. Nadie confiaba en nadie. Hubo muchos rumores en esa época y no fui el único afectado por ellos. Creo que, incluso, se dudó del propio señor Harding.

—El señor Wayne debía ser un niño entonces.

—Sí, tenía nueve años, por eso te digo que no tiene importancia.

—¿Acaso alguien pensó que él era el asesino?

—No, para nada. No se trató de eso. Fue otro tipo de rumor que afortunadamente terminó cuando se resolvió el caso, como tantos otros. Pero no me gustaría que renaciera, por eso procuro no tratar con él. No quiero que te afecten mis fantasmas.

—¡Sus fantasmas! Es usted muy misterioso, padre, me obliga a recurrir a terceras personas.

—¡Ni se te ocurra! —le ordenó ahora verdaderamente enfadado—. Los comentarios ya me han hecho mucho daño. No quiero que des pie a que se renueven.

—Pues si el señor Wayne trabaja aquí, es posible que así ocurra. Las mujeres del club de lectura han decidido celebrar las reuniones en el hotel a partir del próximo martes.

—Sí, eso ya lo sé. Pero mientras se limiten a hablar de libros, no habrá problema. Yo me ocuparé de que no vean a Wayne por aquí.

—La señorita Whittemore nunca se limita, padre.

—Tess —dijo ahora en tono suplicante—, te suplico que no remuevas más este asunto. No tengo nada contra Wayne, creo que es un buen tipo y ha levantado el negocio de su padre. No puedo decir nada en su contra. Simplemente… no creo conveniente relacionarme con él. La cuestión no tiene nada que ver con su honorabilidad. Es todo lo que tienes que saber, no preguntes más.

Ella se quedó impresionada ante la vulnerabilidad que mostró su padre en aquella solicitud y no supo reaccionar.

—¿Me prometes que no harás preguntas sobre ello a nadie? —insistió él.

—De acuerdo —aceptó ella por la incapacidad de resistencia que le había dejado la perplejidad—. Sin embargo, me gustaría que usted tampoco se entrometiera en mis asuntos.

—Si te refieres a buscarte un marido…

—¡Búsqueme los pretendientes que quiera, les diré que no a todos! ¡Me refiero a mi decisión de irme a Australia! —Luego, se tranquilizó y agregó—: Cuando llegue el momento, espero que no invente ningún secuestro ni ninguna trampa y me deje ir. No se lo perdonaría nunca, padre.

—Me pides mucho, Tess. Eres mi única familia.

—Eso, padre, tal vez sea responsabilidad suya.

El señor Gardner la contempló y apreció la determinación en su mirada. Tess, añadió:

—Le prometo no preguntar nada a la señorita Whittemore si usted me promete no interferir en mi futuro.

—¿Y no podría el señor Farrell trasladarse a Inglaterra? Si tan decidida estás, no tengo ningún inconveniente en asociarme con él. Puede vender su granja y dirigir el hotel. Yo me estoy haciendo viejo.

—¿También quiere decidir sobre la vida del señor Farrell?

—Quiero tenerte cerca y que me des un heredero. Creo que es el deseo de cualquier padre, ¿tan difícil resulta de entender?

Tess vio los ojos de su padre vidriosos y casi juraría que se sintió conmovida. Se acercó a él, tomó su mano y comentó:

—Nos haríamos daño, padre. Usted y yo tenemos demasiado carácter. Tal vez la distancia haga que se suavice nuestro enfrentamiento y nos echemos de menos.

El señor Gardner se mordió los labios y no respondió. Cuando Tess salió del despacho, ella también tenía los ojos humedecidos.

XV

⟨∾⟩

℘l sábado por la mañana continuaba lloviendo y, tal como había augurado la señora Young, el cielo no ofrecía visos de cambiar. Aquel día, Tess estaba invitada a una comida al aire libre en Desley Abbey, la considerada mejor posesión del lugar. Pero el tiempo obligó a a sus habitantes, los Dankworth, a mudar sus intenciones y a celebrar el ágape en el interior.

Sobre las diez, los Southgate llegaron en su berlina a buscar a Tess y, aunque viajaron algo estrechos porque también iban los gemelos, ella agradeció el detalle.

El día, a pesar del tiempo, transcurrió de forma entretenida. En total, eran más de cuarenta comensales y los Dankworth habían dispuesto en distintas salas juegos diferentes que no precisaran ser realizados al aire libre. Además de los típicos de mesa, se podía jugar a la petanca en una terraza cubierta. El matrimonio tenía dos hijas, Iris y Helen, y un hijo, Richard, aunque este último no se encontraba allí porque estaba cursando sus estudios en Cambridge. Iris era la mayor y se había comprometido recientemente con el señor Spacey. Como su madre, era una joven con buena voz y aficionada al canto y por la tarde ambas ofrecieron un recital que a todos los presentes les pareció breve. Helen era la más joven, acababa de cumplir quince años y sentía más inclinación a seguir los pasos de su hermano y estudiar una carrera que a lo que se esperaba de una señorita de su posición. Pero ella había crecido escuchando los relatos de viajes de su tío, Lawrence Holstead, un prestigioso fotógrafo de la *National Geographic* que había dado la vuelta al mundo. De toda la familia, era la que se sentía más orgullosa de la colección de insectos de su abuelo, Phineas Holstead, que había muerto feliz días después de que su yerno, el señor Dankworth, hubiera adquirido la antigua casa de la señora Patterson para convertirla en la Holstead's Gallery.

A lo largo del día, tanto las Larraby como la señorita Whittemore se lamentaron del mal tiempo y dijeron que, de seguir así, tendrían que anular el almuerzo en Maple Path porque no podrían disfrutar de su paseo en bote. Tess se alegró por primera vez de la lluvia, aunque ante ellas fingió lamentarse. También hubo de reprimir sus ganas de preguntar por el señor Wayne porque, de algún modo, se sentía comprometida con su padre a no indagar sobre el asunto.

Ya entrada la tarde, regresó al hotel. Se sentía contenta porque al final había tenido la mente ocupada en otros asuntos y había logrado olvidarse de los propios. Cuando cruzó el vestíbulo, sin embargo, temió que la paz se hubiera acabado. Encontró a su padre nervioso, hablando con el señor Young agitadamente y, aunque sin ganas, se dirigió hacia ellos.

—¿Ocurre algo? –preguntó.

—¡Oh, Tess! ¿Sabes quién ha estado aquí?

Aunque ella por un momento temió que se tratara del señor Courtenay, enseguida rechazó esa idea y se planteó si se refería de nuevo al señor Wayne. Acompañada de un gesto de hombros, preguntó:

—¿Quién?

—¡La policía!

Tess recordó la partida de póquer y estuvo a punto de preguntar algo, pero su padre la interrumpió.

—Nada grave. Sólo venían a informar de que aún no tienen pistas sobre tu secuestrador, pero, como comprenderás, me he llevado un susto de muerte. Si llegan a descubrir algo, podría haberme dado un ataque al corazón.

Tess recordó que aquella noche se celebraba la dichosa partida de póquer.

—Ya le advertí de que no se metiera en partidas furtivas —contestó ella sin mostrar ninguna compasión—. Se tiene bien merecido este sobresalto por no alejarse de las malas influencias.

Gardner la miró asombrado por su indolencia.

—Ya ha pasado, ya ha pasado —dijo como si ahora quisiera quitar hierro al asunto—. Ahora, lo importante es que Blake sepa manejarse. Esta mañana ha llegado el señor McKay de Londres para participar en la partida y, además, ¿sabes quién se ha apuntado?

Tess le dedicó una mirada de indiferencia, aunque finalmente preguntó:

—¿Al final ha convencido al señor Courtenay?

—Sí, él también vendrá, por supuesto que vendrá. Pero la persona que más me ha sorprendido es el señor Fernsby. No sabía que le gustara jugar, pero parece ser que así es, ¿no te parece una buena noticia?

El señor Young, que continuaba allí, negó con la cabeza, como si supiera que la muchacha no compartiría su alegría.

—Una persona que maneja tanto dinero ajeno no debería permitirse estos vicios —consideró Tess, puesto que el señor Fernsby dirigía en Horston la sucursal de un banco importante.

—Bueno, eso no es asunto mío. Lo importante es que pierda —añadió Gardner mientras se frotaba las manos como si visualizara el dinero.

—Entonces, los que participan en la partida son el señor Adams, el señor McKay, el señor Courtenay, el señor Fernsby y el señor Blake, según tengo entendido. ¿O me dejo alguno?

—No, ninguno. Aunque Blake piensa que más adelante puede venir gente más importante.

—Casi que prefiero que no me lo cuente —rechazó Tess, que ya tenía ganas de subir a descansar.

—Luego te quejas de que no te cuento nada.

—No tergiverse, padre —respondió ella al tiempo que se dirigía hacia las escaleras—. Sabe muy bien que me refiero a otro tipo de asuntos.

El señor Gardner también abandonó la compañía del señor Young y se dirigió hacia la salita donde se celebraba la partida. Se quedó paseando en sus cercanías, pero no se atrevió a abrir la puerta para saber cómo iba el asunto.

Al cabo de un rato, entró en la zona de servicio y pidió un jerez a la señora Young.

—Esto no lo tranquilizará —le dijo ella mientras se lo servía.

—Tal vez uno, no; pero unos cuantos de ellos pueden ayudar —le respondió más con afán de provocarla que de emborracharse.

La señora Young hizo un intento de retirar la botella, pero él se lo impidió.

—Y no quiero ninguna regañina —añadió Gardner—. Su labor se limita a cocinar.

Ella le dio la espalda desairada, aunque en todo momento estuvo pendiente de él.

Gardner se quedó allí con intención de despistar su mente de lo que ocurría en la salita en la que se estaba jugando la partida. Hacía sólo una hora que había comenzado y, desde entonces, no dejaba de preguntarse si a Blake le estarían yendo bien las cosas. Por momentos, imaginaba que se presentaría allí con una gran suma de dinero y, en otras ocasiones, pensaba que, si le iba mal, el forastero buscaría la ocasión para escapar antes de perderlo todo. Sin darse cuenta, empezó a comer unas patatas de un plato que no era para él, hasta que la señora Young le golpeó la mano y lo regañó.

—¿Dice que no tiene hambre y no para de picotear?

—No es hambre, es ansiedad. Necesito mantenerme ocupado.

En aquel momento, un empleado entró en la estancia precipitadamente y, en cuanto vio al señor Gardner, se dirigió hacia él y le dijo:

—El señor Courtenay se va. Me parece que está enfadado.

Gardner se levantó precipitadamente y, por primera vez, temió que Blake estuviera haciendo trampas. Salió de la zona de servicio y aún encontró al señor Courtenay recogiendo su abrigo y su paraguas y pidiendo que le prepararan el carruaje. En cuanto vio al dueño del hotel, le comentó:

—Me voy, no puedo perder más dinero. Esta no es mi noche.

—Lo lamento —dijo Gardner, preocupado por si aludía a alguna trampa—. La suerte es algo que suele ir por rachas. Tal vez en otra ocasión…

—No habrá otra ocasión si participa en ella el señor Adams. No entiendo cómo puede haber alguien con tanta estrella.

La mención al señor Adams lo tranquilizó por un momento, pero enseguida pensó que Blake podía estar perdiendo.

—¿Va ganando mucho dinero? —preguntó.

—Mío, demasiado. El ajeno no me importa —comentó—. El señor Fernsby ha empezado bien, aunque ahora lleva diez minutos de mala racha. El señor McKay y Blake andan como yo. Deberían abandonar la partida, no entiendo su testarudez en quedarse. Cuando una noche es mala, es mala.

Gardner tuvo la sensación de que había perdido quinientas libras. Por mucho que Blake trabajara gratis para él a lo largo del año, ese dinero no equivalía a su aportación. Se despidió del señor Courtenay con cortesía automática y se quedó con la sensación de que se había equivocado al dejarse engatusar por Blake. Tras permanecer unos instantes en el recibidor, se dirigió a su despacho, más que nada porque le apetecía estar solo, pero por mucho que procuró ocuparse en algo, no logró despistar su pensamiento de la sala de juego.

Recordó las palabras con las que Blake lo había ido llevando a su terreno y reconoció que era un tipo inteligente y persuasivo. Debía ir con cuidado con él. Tal vez, incluso, le convendría dejar correr su deuda y dejarlo ir. No quería verse engatusado de nuevo en algo en lo que obtuviera pérdidas. Y, mucho menos, si se exponía a las autoridades. Sí, debería plantearse muy bien qué hacer con respecto a Blake a partir del día siguiente. No le gustaba sentirse manipulado.

Media hora después, la inquietud lo devolvió al comedor del servicio. Pidió a la señora Young que le sirviera la cena allí y, aunque continuaba sin sensación de hambre, comió más de lo que hubiera imaginado. Aunque la mujer no lo regañara, le resultaba inevitable sentir su mirada acusadora. Procuró entablar conversación con algún empleado que no fuera ella, pero todos estaban ocupados con las cenas de los clientes. Así que prefirió mantener silencio.

Al cabo de un rato de sentirse solo a pesar de la compañía, volvió a salir. Se acercó a la puerta del hotel y vio que ahora solamente chispeaba, así que cogió abrigo y sombrero y decidió pasear por la oscuridad del jardín. Procuró pasar por el camino de piedras porque había menos barro, pero los charcos estaban por todos los lados, así que al final desistió del paseo y regresó al interior.

Se sentía inquieto y no sabía estar mucho rato parado.

De nuevo, se dirigió a su despacho, pero antes cogió un libro. Hacía mucho que no leía y ahora necesitaba entretenerse con cualquier cosa. Se sirvió otra copa de jerez y buscó las páginas finales de la novela. No quería leer algo sin saber cómo terminaba. En estos momentos, tenía una necesidad infinita de sentir que controlaba algo. Por un rato, se introdujo en aquello que contaba la novela, más que nada porque, según la visión del narrador, esa era una historia que nadie debía perderse si quería aprender buenas costumbres, pero una vez conocido el final, perdió totalmente el interés en empezar a leerla. Se sirvió otro jerez. Y al cabo de un rato, cuando ya se sabía de memoria todos los detalles de los bibelots de su estantería, volvió a llenar su copa.

Sin saber cómo, se quedó dormido en la silla apoyado contra la mesa y, cuando se despertó con un dolor de espalda que empezaba a acecharle, miró el reloj y vio que pasaban de la una. Un regusto amargo se revolvió en su boca y se levantó para hacer unos estiramientos de espalda. En aquel momento, alguien movió la manecilla de la puerta y la abrió.

Blake entró en el despacho con una expresión en la que el señor Gardner no supo discernir ninguna emoción.

—¿Y bien? —preguntó el dueño del hotel mientras volvía a sentarse en su silla con pocas expectativas.

Blake se acercó y sacó un fajo de billetes de su bolsillo y a continuación los dejó sobre la mesa de Gardner mientras continuaba con su gesto inexpresivo.

—Las quinientas libras que me prestó —dijo.

El señor Gardner relajó su mirada y después dejó de mirar el dinero para observar a Blake. Este sacaba otro fajo de billetes y los colocaba al lado del primer montón.

—Y las quinientas libras que le prometí —añadió.

—Entonces, ¿ha ganado? —preguntó el señor Gardner aún sorprendido ante ese dinero.

—Algo.

—Pensé que iba perdiendo. El señor Courtenay me dijo que…

Blake lo contempló con indulgencia, como haría con un niño.

—A veces hay que fingir que se pierde para ganar después.

Gardner volvió a sorprenderse, pero enseguida reaccionó. Empezaba a asumir que la cosa había ido bien.

—¡Ah! ¡Es usted un tipo listo, Blake, muy listo!

El aludido cogió una silla y se sentó frente al dueño del hotel.

—Entonces, ¿da el visto bueno a las partidas de los sábados?

Gardner estuvo tentado a decir que sí inmediatamente, pero se lo pensó mejor y contestó:

—De momento. Sólo de momento.

—Es usted un desconfiado.

—La desconfianza es una buena amiga, procuro no dejarla de lado.

Blake rio. Luego, mientras jugaba con una estilográfica que estaba sobre la mesa, añadió:

—Hay una cosa más.

—¿Qué cosa?

—A partir de ahora no me hospedaré con el resto de empleados. Quiero una habitación del hotel para mí.

Gardner lo miró expectante.

—Si deben pensar que soy un huésped, debo actuar como un huésped. También convendría que tuviera más ropa elegante.

—¿Me está pidiendo que le compre trajes?

Blake sonrió y dejó la estilográfica sobre la mesa.

—No, de la ropa me encargaré yo —comentó al tiempo que sacaba otro fajo de billetes del bolsillo y comenzaba a simular que los contaba.

Gardner, abriendo aún más los ojos, preguntó:

—¿De dónde ha sacado ese dinero? ¿También lo ha ganado?

El aludido lo miró con gesto afirmativo.

—¿Cuánto hay?

—Setecientas veintitrés libras.

—¿Eso quiere decir que, en total, ha ganado mil doscientas veintitrés libras? ¡Oh! Si cada sábado tiene la misma suerte, pronto voy a poder cancelar el crédito con el banco.

—No se equivoque, Gardner, este dinero es mío. Le prometí quinientas libras y se las he dado, pero esto no le pertenece.

Gardner lo contempló perplejo, aunque hubo de aceptar que llevaba razón. Sin embargo, antes de que Blake abandonara el despacho, le comentó:

—Le voy a cobrar la habitación.

El forastero sonrió nuevamente, aunque el sarcasmo de su expresión era obvio. Y, mientras lo hacía, añadió:

—No, Gardner. El alojamiento corre a cambio de mis servicios. A partir de ahora, queda consolidado mi cargo de asesor.

XVI

Tess se vio obligada a pasar todo el día en el interior del hotel en cuanto regresó del oficio religioso. El mal tiempo también había impedido que se estableciera ninguna tertulia después del oficio y, en cuanto salió de la iglesia, subió al carruaje con el resto de clientes del hotel para regresar.

El domingo llovió hasta avanzada la tarde y el cielo descargó todo el agua de forma descortés, como si quisiera apedrear las hojas de los árboles para arrancarlas de sus ramas. Sólo a partir del anochecer hubo un poco de tregua, pero entonces ya había oscurecido y estaba todo encharcado.

Como era de esperar, finalmente, la señorita Whittemore y sus compañeras no acudieron a almorzar y, al menos, por ese lado, Tess se sentía aliviada. También se alegraba de no haberse cruzado con Blake, sobre todo desde que la señora Young le había contado que ahora se hospedaba en una habitación del hotel, como si fuera un huésped más.

Cuando lo supo, había estado tentada de buscar a su padre y pedirle explicaciones, pero en el fondo intuía que esa decisión tenía que ver con la partida celebrada la noche anterior. Estaba segura de que Blake había ganado y satisfecho las expectativas de su padre y que, por mucho que ella protestara, no lograría cambiar su parecer. La expectativa de que hubiera sido así no le gustó, por lo que procuró olvidarse del asunto y pasó casi todo el día en sus habitaciones, excepto un par de horas que se dedicó a jugar al *backgammon* con Sam.

Aprovechó para releer las cartas del señor Farrell, incluso el poema, al que trató de buscarle algún punto fuerte con poco éxito. También hojeó un libro sobre flora y fauna australiana y fantaseó con su futura vida allí. Eso hizo que aún se sintiera más impaciente y deseara recibir ya la próxima carta desde aquel lejano continente. Se preguntó si sus últimas palabras producirían el efecto deseado y si el señor Farrell no demoraría más su propuesta de matrimonio. También sintió vergüenza por haberlo presionado, tal vez no debería haber actuado tan impulsivamente, aunque en el fondo no se arrepentía de ello. Por lo que había podido deducir en sus cartas, el señor Farrell era un hombre comedido, razonable y lejano a precipitarse en sus decisiones. Era justo pensar que él necesitaba un empujoncito y, desde luego, Tess no tenía otro modo de hacerlo.

Después, cenó en la habitación, puesto que la señora Young le dijo que, a partir de ahora, Blake compartiría cena con el señor Gardner en el comedor principal.

A pesar de sus intentos, aquel domingo estuvo muy inquieta, incapaz de sentirse cómoda en cualquier actividad en la que intentara centrarse, pero culpó de ello a la lluvia.

El lunes amaneció despejado, aunque con un aire frío y una tierra encharcada. Tess se despertó pronto y, cuando bajó a desayunar, se cruzó con Blake. En esos momentos tomó conciencia de que, aunque el día anterior había intentado no pensar en él, el recuerdo de lo que había ocurrido en la orilla del lago había estado subyaciendo en su mente contra su voluntad.

Coincidieron en la escalera y, nada más verlo, Tess sintió un ligero temblor que trató de disimular con una mirada arrogante. Estuvo a punto de pasar de largo sin decir nada, pero como él le dirigió la palabra, se vio obligada a contestarle.

—Buenos días, señorita Gardner —le dijo con media sonrisa—. Es una lástima que siempre muestre una expresión avinagrada. Si procurara ser feliz, incluso podría decir que es usted bonita.

Era obvio que él buscaba provocarla y lo consiguió.

—Tal vez su presencia tenga mucho que ver con mi expresión —le recriminó ella, ante lo que él amplió su sonrisa y le ofreció el paso.

—No sabía que tuviera tanto influjo sobre usted.

Esta vez ella logró no responder y aceleró su marcha para descender las escaleras antes de que él se colocara a su lado. Pero, incluso dándole la espalda, podía notar la burla en su mirada. Aunque no volvió a verlo a lo largo de todo el día, la sonrisa sardónica de Blake se quedó clavada en su interior.

Por la mañana fue a Horston a saludar a Maud, con la que paseó más de una hora buscando las zonas menos barrosas de Seedon Park para caminar. Su amiga estaba encantada con la perspectiva de viajar a Londres y durante ese rato no paró de hablar de sus planes. Tess agradeció que ella se encargara de llenar la conversación, puesto que por su parte no tenía mucho que decir.

Antes de abandonar el pueblo, se encontró con la señora Odell y las hermanas Larraby, con las que se detuvo a charlar del tiempo. Tess sabía que ninguna de las jóvenes mencionaría a Blake delante de la esposa del vicario y, aunque sí hablaron de la reunión del día siguiente en el club de lectura, efectivamente no salió su nombre.

Iba ya a despedirse cuando también pasó por allí el señor Wayne y la señora Odell lo llamó para interesarse por unos trabajos de reparación que estaba llevando a cabo en su casa.

Tess se sintió sobrecogida ante su presencia.

El herrero saludó a todas las presentes y Tess le correspondió con un ligero gesto de cabeza. Aunque al principio se sintió turbada, porque él continuaba mirándola de un modo que no podía descifrar, hizo acopio de valor y le comentó:

—Creo que también está haciendo unos arreglos en Maple Path.

Él la miró como si se hubiera sorprendido ante aquellas palabras y Tess pudo detectar un brillo fugaz en sus pupilas.

—Ya no —contestó aún extrañado—, el señor Blake me pidió que instalara unos soportes para las redes de unas pistas de tenis, pero, por lo visto, su padre ha preferido contar con otra herrería de Sunday Creek.

—¿El señor Blake juega al tenis? —se interesó Olympia, a la vez que la señora Odell procuraba no mostrar que se había sentido violentada.

—No lo sé, no le hago un interrogatorio cada vez que lo veo —respondió cortante Tess, que se sentía avergonzada por la actitud de su padre.

—Creo que es para los clientes del hotel —añadió Wayne—. Al señor Gardner deben de irle bien las cosas.

—Es posible que tuviera un compromiso con la herrería de Sunday Creek y el señor Blake no lo supiera —le dijo Tess con intención de paliar la actitud de su padre.

—Seguramente —le respondió él con cierta timidez y entendiendo su intención.

La señora Odell comentó algo más sobre las reparaciones de su casa y Tess aprovechó para despedirse.

Mientras regresaba hacia el hotel, no podía dejar de pensar en que el señor Wayne le había parecido un hombre amable y educado. No entendía qué tipo de rumor había podido afectar a un niño, por aquel entonces, de nueve años como para que su padre quisiera evitar cualquier tipo de relación con él. Y tampoco entendía qué poder tenía Blake sobre su progenitor como para que ahora, de repente, se hubiera ocupado de las pistas de tenis del hotel.

Caminó con la confusión como guía y, en dos ocasiones, cometió la torpeza de pisar un charco. Sus botas quedaron mojadas enseguida y la humedad se filtró en sus pies. Sin embargo, ni esa contrariedad logró despistarla de sus dudas.

Pero cuando llegó al Maple Path, fue otra la cuestión que la intrigó. Nada más entrar en el vestíbulo, no sin antes procurar limpiar sus botas con la alfombra de la entrada, vio a Blake asomarse desde la puerta de un despacho. Pero este enseguida se detuvo y retrocedió, algo que sorprendió a Tess. Y mucho más, cuando le dio la sensación de que el cambio de opinión tenía un extraño motivo. Un hombre se encontraba en la recepción del hotel hablando con el señor Young y había sido precisamente su presencia la que había hecho retroceder a Blake. ¿Era sólo su sensación o Blake había procurado ocultarse de ese hombre?

Intrigada, se acercó hasta ellos con el pretexto de preguntar al recepcionista si había correspondencia pendiente y pudo oír que el desconocido se llamaba August Palmer. El nombre no le sonó, pero resultaba obvio que Blake sí debía de conocerlo y que su presencia allí no era de su agrado. De otro modo, no lo hubiera evitado. También pudo oír que el señor Palmer venía acompañado de su familia, algo que la hizo volver a cuestionarse si sus impresiones eran falsas.

Por la tarde, aún tenía más dudas sobre lo que había percibido. Se preguntaba si todo había sido una sensación de ella y Blake se había limitado a desaparecer porque había olvidado algo, o si efectivamente se había escondido del señor Palmer. Ahora no estaba tan segura, pero, desde luego, pensaba indagar sobre el asunto. Decidió que esa noche cenaría en el comedor de los clientes acompañando a su padre. Si Blake evitaba al señor Palmer, seguro que no acudiría a acompañarlos.

El reloj marcaba las siete pasadas cuando bajó a cenar. Ni su padre ni Blake se hallaban en el comedor, pero sí distinguió al señor Palmer en una mesa junto a los ventanales acompañado de una dama y dos niñas que supuso que eran su esposa y sus hijas.

Tess se dirigió a la mesa que habitualmente ocupaba su padre y el camarero que la saludó enseguida se dirigió a atenderla.

—¿Desea cenar ya, señorita Gardner?

—Esperaré a mi padre, gracias —le respondió cuando él le entregó la carta.

Al cabo de cinco minutos, llegó el señor Gardner, pero sin Blake, tal como ella había supuesto. El hombre se sorprendió de encontrar allí a su hija y enseguida manifestó su contento.

—Me alegro de que no te refugies siempre con los empleados. Deberías tener más en cuenta que tu sitio es este.

Tess no respondió para no empezar una nueva discusión. Por el mismo motivo, tampoco le apetecía confesar que sabía que ya no contaba con los servicios del señor Wayne, así que mencionó el otro tema que le interesaba.

—He visto que han llegado nuevos huéspedes —comentó señalando con la mirada al señor Palmer.

—Sí, y espero que próximamente vengan muchos más. He recibido una reserva para una convención de etnólogos interesados en la colección Holstead. Y lo de instalar unas pistas de tenis es buena idea, ahora lo que hay que hacer es publicitarlo.

—¿Piensa poner un anuncio en el periódico?

—Espero que sean los periódicos los que se interesen en el hotel. He invitado a los Renshaw a pasar los inviernos aquí.

—¿Los Renshaw? –preguntó fingiendo curiosidad.

—Son dos hermanos, ambos tenistas muy famosos. Estoy convencido de que si deciden preparar la temporada aquí, en lugar de hacerlo en Francia, la prensa lo publicará.

—No sé por qué van a cambiar Francia por Horston. Es cierto que aquí tenemos mejor tiempo que en Londres, pero no podemos competir con el Mediterráneo francés.

—Hay maneras, Tess, hay maneras –respondió su padre sin intención de ampliar información sobre el asunto.

Ella, que tenía más interés en los nuevos clientes que en esas explicaciones, volvió a referirse a los recién llegados.

—¿El señor Palmer se había hospedado antes aquí?

—No, es la primera vez que viene. Pero espero que no sea la última. Es amigo del señor Harding y está aquí para la celebración del compromiso, que es dentro de dos semanas. Espero que regrese para la boda y también se hospede aquí.

En ese momento fueron interrumpidos por el camarero, que les traía las bebidas, y este aprovechó para tomar nota de sus pedidos. Cuando volvieron a quedar a solas, Tess insistió.

—Parecen de la capital. Ella se ve muy elegante.

—Sí, son de Londres. El señor Palmer es un afamado comisario de Scotland Yard.

XVII

❦

Durante toda la noche, Tess había estado dando vueltas a esa noticia. El señor Palmer era policía y Blake trataba de ocultarse ante su mirada, porque ahora comenzaba a estar convencida de que era así. Durante su desvelo, había fantaseado con una y cien posibilidades, incluso con las palabras que la señorita Whittemore había pronunciado sin creérselas, y se imaginó a Blake tanto descuartizando mujeres en Whitechapel como robando bancos o huyendo de acreedores de juego. Le satisfacía la idea de saber que guardaba algo oscuro porque, aunque no lo reconocía, eso supondría una barrera a la hora de sentirse atraída hacia él.

Una noche más, fue víctima del insomnio y, una noche más, encontró justificaciones que fueron de su agrado.

Por la mañana, desayunó en el comedor principal con intención de observar a los Palmer y acercarse a ellos si era posible, pero, para su desilusión, no los vio allí. Pensó que habrían madrugado para hacer excursiones por la zona, ya que por fin volvía a lucir el sol.

Sin embargo, al salir, encontró a la señora Palmer con sus hijas, que se dirigían a desayunar. Por tanto, no fue casualidad que Tess hiciera unas carantoñas a la hija menor de los Palmer cuando se cruzó con ella en el vestíbulo. La niña iba con su hermana y su madre y Tess sonrió a ambas y se presentó. Al cabo de unos minutos, la señora Palmer y ella ya se habían cruzado los saludos protocolarios, aunque, para infortunio de Tess, su marido no apareció en esos momentos.

Como ya había desayunado, no pudo acompañarlas al comedor principal y les deseó un buen día con la frustración de no haber podido conocer al comisario de Scotland Yard. Se consoló pensando que, al menos, había roto el hielo y que, la próxima vez que estuvieran todos juntos, podría dirigirse a ellos sin ningún pudor. Desde que su padre le había dicho quién era el señor Palmer, no tenía ninguna duda de que Blake lo había evitado a propósito. Y, por supuesto, ella estaba dispuesta a averiguar el motivo.

También se alegró de la presencia de los Palmer, porque imaginaba que, de ese modo, Blake rondaría menos por el hotel. Pensó en la decepción que se llevarían algunas de las damas del club de lectura cuando no lo encontraran allí y sonrió maliciosamente ante esta idea.

Antes de salir al jardín, el señor Young la detuvo para comentarle:

—Mi esposa tiene algo para usted.

Tess se dirigió inmediatamente a la zona de servicio. En cuanto la señora Young la vio, le hizo un gesto para que se acercara.

—Ha llegado esto para usted —le susurró mientras, discretamente, le entregaba un telegrama.

—¿Del señor Farrell? —preguntó Tess ilusionada y el gesto de la señora Young le hizo comprender que había acertado.

Metió el telegrama en su bolsillo y, luego, salió a pasear al jardín con el fin de leerlo en la intimidad. Se acercó al embarcadero y observó que el señor Woods ocupaba su puesto y los botes recién pintados habían sido devueltos a su lugar junto a los otros. Como no vio a Blake por aquella zona, decidió bordear el lago y, cuando se sintió protegida por la soledad, sacó el telegrama para leerlo.

Tal como esperaba, el señor Farrell le proponía matrimonio. Remitía a una carta posterior en la que, si aceptaba, recibiría información sobre las partidas de nacimiento y los documentos notariales que necesitarían para casarse por poderes. Tess hizo un cálculo de fechas y decidió que aprovecharía la estancia de Maud en Londres para embarcar hacia Australia desde la capital. Si agilizaba los trámites, podría partir a mediados o finales de diciembre, es decir, en dos o tres semanas.

De pronto, sintió lástima por su padre, sentimiento que la sorprendió, y consideró que tal vez era mejor esperar a que pasaran las fechas navideñas. Al fin y al cabo, sería esa la última Navidad que pasaría a su lado.

Se sentía más satisfecha que alegre. Por fin, veía lograrse su objetivo de abandonar Horston, pero notaba sensaciones encontradas ante esa perspectiva. Y más que pensar en su futuro en Australia, recordaba su cotidianidad en Inglaterra. En esos momentos, fue presa de la nostalgia. Recordó a su abuela y todo lo que le había contado sobre su madre y se sintió culpable porque hacía más de tres semanas que no visitaba sus tumbas. Pero también se filtraron en sus pensamientos algunos momentos buenos vividos con su padre. Sabía que él la quería, aunque nunca había sido un hombre cariñoso ni había sabido cómo tratarla.

Mientras guardaba el telegrama en su bolsillo, después de releerlo, sintió sobre ella la mirada burlona de Blake y se sobresaltó. Sin embargo, después de mirar a su alrededor, comprendió que sólo se la había imaginado y le molestó que su imagen apareciera en su cabeza cuando debería estar pensando en el señor Farrell.

Afortunadamente, mientras los Palmer se hospedaran allí, lo vería poco. Acababan de entrar en diciembre y, en unas semanas, empezarían las fiestas de Navidad y, si por entonces los Palmer continuaban en Horston, a Blake le resultaría difícil evitarlos. Tess se preguntó qué excusa aduciría entonces para no encontrarse con ellos. Luego, trató de forzar que sus pensamientos regresaran al señor Farrell porque sentía que, de algún modo, lo estaba traicionando. Debería sentirse exultante, no todos los días se recibía una solicitud de matrimonio que se llevaba esperando tanto tiempo.

Cuando casi una hora después regresaba al hotel, vio al grupo del club de lectura llegar por el camino de Horston y decidió reservar las noticias para ella y, si tenía ocasión, sólo se lo contaría a Maud. De lejos, le dio la sensación de que una de ellas cojeaba y, cuando se acercó, comprobó que la señora Odell se ayudaba de una muleta. Se dirigió hacia ella enseguida y le preguntó, preocupada, qué le había pasado.

—Una mala caída. No es grave.

—He pedido que preparen la sala acristalada para nuestra reunión –comentó Tess–. Las vistas son del jardín y del bosque, así no nos despistaremos.

—¿Se ve el lago? –preguntó Olympia Larraby.

—No, el lago queda un poco más a la izquierda –sonrió Tess satisfecha al ver la decepción de la joven, que no sabía que Blake ya no se encargaba del embarcadero.

Mientras subían las escaleras de la entrada del hotel, se cruzaron con los Palmer, que salían en ese momento.

—Vamos a pasar el día de excursión –le comunicó la esposa a modo de saludo.

—Espero que lo disfruten –respondió Tess algo desilusionada. Si los Palmer se iban, Blake tendría carta blanca para aparecer, y eso era lo que no le apetecía.

Mientras se dirigían a una sala para la reunión, fue inevitable que algunas de las damas miraran de un lado a otro como si buscaran algo o a alguien y la señorita Whittemore estuvo a punto de chocar con una columna y el sombrero le quedó descolocado.

Tess avisó a un camarero de que les sirviera té y unas pastas, sobre todo para evitar que algunas de las presentes estuvieran saliendo y entrando con el pretexto de necesitar algo.

Todas tomaron asiento mientras hacían comentarios ajenos a la intención de la reunión, pero, gracias a la señora Odell, al cabo de diez minutos el tema de conversación se centró y comentaron el libro completo, ya que, después de tres semanas, lo habían finalizado. Con mayor o menor concentración, según quién llevase la palabra, todas dieron su opinión y lo compararon con otros libros similares. No llevaban aún una hora cuando la señorita Whittemore acercó su rostro a Tess para comentarle:

—He sabido que su padre contrató al señor Wayne y lo despidió el mismo día.

Tess se negó a compartir con ella esa historia y, simplemente, respondió:

—Pues ya sabe usted más que yo.

Justo en aquel momento, el señor Gardner se asomó a la sala y saludó a todas las presentes.

—No quisiera interrumpir, pero no quería perder la ocasión de saludarlas —dijo con ímpetu, aunque cuando contempló a la señorita Whittemore, su expresión mostró ciertas dudas.

Pero se repuso enseguida y añadió:

—¿Van a quedarse a almorzar? La señora Young está preparando unas perdices estupendas.

—Muy amable, señor Gardner —respondió la señora Odell—, pero en nada nos iremos. Sólo nos queda elegir la próxima lectura y ya habremos terminado.

—¡Me desilusiona, señora Odell! También tenemos carne de venado y unas truchas recién pescadas. No irá a usted a decirme que no logro tentarla...

—No es cuestión de tentaciones, señor Gardner. Tengo marido y obligaciones, sólo hemos venido para comentar el libro.

Hubo un par de suspiros cuando Blake también entró en la estancia e hizo un gesto al señor Gardner para que saliera. Si su intención era dedicar un saludo rápido a las presentes, tuvo que resignarse porque enseguida varias de ellas le recordaron su promesa de pasearlas en bote. Si ya les gustaba antes, ahora que lo veían vestido de forma elegante, su interés aumentó.

—Señoritas, quedamos en ello si venían a comer el domingo, pero hoy estoy ocupado en otros asuntos.

—Pero el domingo llovía... —objetó Olympia.

—A cántaros —añadió la señorita Whittemore.

La señora Odell contempló a Blake y, luego, a sus compañeras y no pasaron dos segundos hasta que entendió el motivo por el que habían cambiado el lugar de reuniones.

—Yo les estaba preguntando si pensaban quedarse a comer, Blake, pero por lo visto hace unos minutos tenían prisa —comentó el señor Gardner que también sabía por qué estaban allí—. ¿Por qué no les habla de los guisos de la señora Young?

—Nosotras no tenemos prisa —comentó Olympia señalando a su hermana y sonriendo a Blake—. Tal vez si el señor Blake nos pasea en bote, se nos haga tarde y tengamos que quedarnos a comer.

—Estoy convencido de que el señor Woods estará encantado de pasearlas, señorita Larraby —respondió Blake, algo incómodo por la atención que despertaba.

—Usted nos inspira más confianza —insistió Olympia—. El señor Woods ya no es joven y parece más torpe. Además, estoy convencida de que si cayera al agua, él no se arrojaría a salvarme. ¿Lo haría usted?

—No creo que haya nadie que no esté dispuesto a sacrificarse por usted, señorita Larraby.

Este halago dejó a la destinataria satisfecha y, a otras de las presentes, llenas de envidia, mientras Tess volvía a sentirse avergonzada. Aunque esta vez notaba que otras sensaciones, también incómodas, se mezclaban con su idea del decoro. Olympia era más joven que ella y más hermosa. Sin duda, una de las beldades de Horston y, si Tess se hubiese permitido ser sincera consigo misma, habría afirmado que estaba celosa. Pero eso era algo que todavía no se atrevía ni a sospechar.

—Es una desvergonzada —le susurró Maud a su lado para hacerle sentir que no estaba sola.

Pero Tess no se sintió complacida y, con ansias de cambiar de tema, se levantó de la silla para pedir la atención de los presentes.

—Bien, ahora que está presente mi padre y tengo la suerte de tenerlas reunidas a todas, hay algo que me gustaría anunciarles.

Aunque Olympia continuaba poniendo ojitos a Blake, Tess consiguió que callaran y estuvieran pendientes de sus palabras. También el señor Gardner, que no tenía ni idea de qué se proponía su hija.

—Supongo que a algunas le sorprenderá escucharlo… Otras, como Maud —dijo al tiempo que sonreía hacia su amiga—, hace tiempo que están al corriente. Y antes de dar lugar a malentendidos, les diré que mi padre también está informado.

En ese momento el señor Gardner intuyó de qué iba el asunto, pero esperó que no fuera cierto. Sin embargo, la sonrisa forzada que le dedicó su hija, le hacía temerse lo peor.

—Y aunque el tema no es de la incumbencia del señor Blake —recalcó ella—, su presencia aquí no es un obstáculo para que pueda hacerlas partícipes de mi felicidad. Desde hace un tiempo —prosiguió— mantengo correspondencia con un caballero que reside fuera de Inglaterra y con el que... acabo de comprometerme.

Ante la sorpresa de las presentes, Tess sonrió, aunque le molestó ver que Blake también sonreía mientras la miraba de forma intensa y permanecía de brazos cruzados reclinado sobre una columna. Hubiera dicho que en el gesto de él había cierta burla, pero no pudo observarlo mejor porque enseguida empezaron las preguntas.

—¿Un caballero?

—¿Ha dicho que no vive en Inglaterra?

—Pero será inglés, ¿verdad?

—¿No se referirá usted al señor Douglas?

—¿Es el señor Fisher?

—Bueno, bueno —intervino el señor Gardner procurando disimular su contrariedad—. No es algo definitivo. Mi hija y ese hombre sólo se cartean.

—Se equivoca, padre —respondió con determinación Tess, pero, a continuación, suavizó su tono de voz y añadió—: Es cierto que nos hemos carteado durante mucho tiempo, de tal forma que ambos ya conocemos perfectamente el carácter del otro. Pero hoy he recibido un telegrama con su propuesta de matrimonio y mañana mismo responderé aceptando. Como comprenderán, no se trata sólo de una buena amistad.

—¿No deberíamos hablar antes del tema? —preguntó el señor Gardner como si fuera una imploración y, a las presentes, les sorprendió la vulnerabilidad en aquel instante de un hombre al que consideraban imperturbable.

A pesar de esa súplica, los comentarios de las otras damas prosiguieron.

—¿Quién es el señor Farrell?

—¿Y vendrá hasta Inglaterra para casarse con usted?

—Yo tengo un primo lejano en Australia.

—¿Celebrarán la boda en el hotel?

Mientras Tess respondía a todo lo que las mujeres le preguntaban, Gardner salió de la sala con el rostro algo desencajado. Blake lo contempló sin retenerlo. No es que Blake sintiera pena por él, porque lo ocurrido lo tenía merecido, pero sí empatizó un momento con su pesar. De pronto, el motivo por el que había venido a buscarlo se había hecho menos urgente y la visión de las felicitaciones que recibía Tess Gardner le interesaba más.

Con un falso orgullo, ella lo miró un momento y le dijo:

—Señor Blake, ¿sería tan amable de traer unas copas y champán para mis amigas?

Él asintió con un gesto de cabeza, pero antes de retirarse, Olympia Larraby le dijo:

—Espero que también traiga una para usted, no irá a abandonarnos ahora…

—Me temo, señorita Larraby, que esta no es mi celebración —respondió a modo de despedida.

XVIII

೧౪౬

Gardner se encontraba abatido en el sillón de su despacho cuando Blake entró sin pedir permiso. Obviando su estado de conmoción ante lo ocurrido, le habló con total naturalidad de sus asuntos.

—A primera hora he ido al banco y el señor Fernsby ha mostrado su interés en participar también en la próxima partida.

—Bien, está bien, Blake —respondió el señor Gardner sin demostrar demasiado interés.

—Deberíamos pensar en quién puede ocupar el lugar del señor McKay si este decide no volver. O tal vez el del señor Courtenay, que no pareció muy satisfecho con los resultados.

Gardner lo miró con ojos aún desencajados.

—Sí, sí… Ya lo hablaremos ¿eh? Ahora, si me permite, preferiría estar solo.

—Hay algo que se me escapa en la decisión de su hija —comentó Blake, que sabía que el señor Gardner se mostraba desalentado por la noticia de su compromiso.

El dueño del hotel lo miró de forma escéptica, pero no dijo nada.

—Me refiero a que Tess no tiene el carácter de una joven a quien le preocupe casarse y, menos, con un desconocido del que dudo que esté enamorada.

Gardner observó a Blake, como si dudara de darle pie en ese asunto, pero finalmente, dijo:

—Lo sé, lo sé… Mi hija sólo pretende castigarme.

Blake lo contempló de modo interrogante, pero Gardner, en lugar de explicarse, le pidió que le acercara la botella de coñac que estaba en el aparador.

—Traiga dos copas —añadió.

Blake le hizo caso y, cuando se acercaba, Gardner le indicó la silla con un gesto para que se sentara.

—Hubo cosas en el pasado que no logra perdonarme —le explicó a Blake cuando este ya se hubo acomodado.

—Muy graves tuvieron que ser para que decida sacrificar su propio futuro sólo para vengarse.

—No fui un marido ejemplar, eso es cierto. Pero soy inocente de la muerte de Margaret.

—¿Quién es Margaret?

—Era mi esposa.

Y, tras estas palabras, hizo una breve pausa, aunque después prosiguió.

—Margaret me abandonó cuando descubrió que… había otras mujeres —comentó al tiempo que se llenaba la copa después de haber servido a Blake—. No entendió que no me importaban, que sólo la quería a ella —dijo como para sí mismo—. Regresó a casa de su madre y, al principio, se llevó a Tess, que entonces tenía dos años. Yo pensé que mi mujer regresaría, pero mi suegra, con la que nunca simpaticé, influyó mucho en ella para ponerla en mi contra. Esperé y esperé, supliqué y supliqué, pero no hubo forma. Al cabo de un año, decidí traer a Tess conmigo. Ya sabe, tenía derecho.

—¿Le quitó a su hija?

—También es mi hija. El derecho me asistía, ella era quien me había abandonado. Lo hice porque creí que, así, Margaret regresaría, pero entonces le empezaron unas fiebres y, al poco tiempo, falleció. No fue culpa mía, pero mi suegra le hizo creer a Tess que Margaret murió de pena…

—Es posible que una niña creyera eso, pero su hija ya es adulta...

Gardner no contestó.

—Su suegra ¿sigue viva?

—No, murió hace diez años. Pero nunca le prohibí a Tess que la visitara y esa harpía aprovechaba para contarle mentiras sobre mí. Margaret murió de una enfermedad pulmonar, no de dolor, pero mi hija no lo cree así.

—En aquellas visitas, ¿la acompañaba su institutriz?

—¿Institutriz? No, no. Tess no tuvo institutriz. Acudió a la escuela de la vicaría y tuvo un profesor de francés. Además, siempre le ha gustado leer... Pero nunca estuvo sola si es a lo que se refiere. La señora Young siempre la ha querido como a una hija. Aquí siempre ha estado acompañada de todos los empleados.

Ahora fue Blake quien no respondió.

—Si no hago algo, Tess se marchará para siempre –añadió Gardner dolido pero, luego, su rostro se arrugó y, en un gesto frenético, golpeó la mesa con un puño–. Pero yo no lo voy a permitir. ¡Juro que sobornaré a todos los capitanes de barco para que no la dejen embarcar!

—Hay muchos puertos –le hizo ver Blake–. Además, no creo que sea el mejor modo de que...

—¿El mejor modo? ¿Hay alguna otra forma de retener a mi hija? –preguntó sin esperar respuesta–. Lo he intentado todo, pero ella no me escucha. Es terca como una mula y me desobedece siempre que puede.

Blake no respondió. Ahora entendía mejor el carácter de Tess y no le apetecía conspirar contra ella. Decidió dejar solo a Gardner, así que se levantó de la silla y se despidió con un gesto. Luego, abandonó el despacho y salió al jardín para supervisar a los obreros que se dedicaban a la instalación de las canchas de tenis.

Mientras, en la terraza acristalada, la señora Odell había logrado apaciguar las preguntas de sus compañeras y las pocas explicaciones que estaba dispuesta a dar Tess ayudaron a ello. Tras decidir la próxima lectura del club, las mujeres se marcharon, excepto Maud, que prefirió tener un rato de intimidad con su amiga para charlar sobre varios asuntos.

También salieron al jardín, pero como vieron a Blake en la zona oeste, ellas optaron por caminar por la otra parte ajardinada.

—Menos mal que la señora Odell se ha dado cuenta de todo —decía Maud— y ha decidido que las reuniones vuelvan a ser en su casa. Te habrás fijado que lo ha dicho con tal contundencia que ni la señorita Whittemore se ha atrevido a discutírselo.

—En este caso, veía más próxima a discutir a la mayor de las Larraby que a la señorita Whittemore —comentó Tess con un tono resentido.

—Sí, es cierto. Olympia está irreconocible. Y, ahora que tu padre ha ascendido a Blake, es posible que su capricho vaya adquiriendo solidez. Aunque sigo sin estar convencida de que su familia estuviese de acuerdo con esa relación.

—¡La aborrezco! ¡Y aborrezco a tipos como Blake, conscientes de su influjo sobre las mujeres y dispuestos a aprovecharlo!

Maud la miró de forma recriminadora.

—No veo que él haya sacado provecho, Tess.

—Pero lo hará, no lo dudes. Los hombres guapos siempre dan problemas —respondió con decisión y mal disimulada rabia.

—¿Tu acusación no es algo precipitada? De momento, sé que ni la señora Mitchell, ni Olympia ni ninguna otra han conseguido nada con él.

—¡Hazme caso! No pasará mucho tiempo hasta que haya un escándalo por su culpa —continuó Tess en sus trece.

—Me pregunto quién será la elegida.

—Si te soy sincera, no tengo ninguna curiosidad. Pero no quiero que el escándalo involucre al hotel. Ya bastante nos salpicaron ese tipo de historias cuando mi padre era más joven.

Arrepentida de haber entrado en este tema, pues había oído hablar del comportamiento de Gardner en su juventud, Maud aprovechó la ocasión para preguntarle si la declaración del señor Farrell había sido romántica, pero Tess le contestó que en un telegrama no se podían escribir muchas florituras.

—Seguramente aprovecharé tu estancia en Londres para embarcar. ¿Crees que a tu familia le importará hospedarme un par de días?

—No creo que haya ninguna objeción contigo, siempre que ello no les lleve a un enfrentamiento con tu padre. Pero si así fuera, te garantizo que a mi tía Mary nunca le han importado los problemas. Creo que ella sí podrá alojarte el tiempo que necesites.

Hablaron sobre esa posibilidad y, al cabo de media hora, Maud se despidió. Al regresar, Tess observó que Blake continuaba en el jardín, así que acudió a almorzar a la zona de servicio. En cuanto la vio, la señora Young le dijo:

—Creo que su noticia ha dejado afectado a su padre.

—¿Se refiere al anuncio del compromiso?

—Por supuesto que me refiero a eso. Creo que antes de hacerlo público, debería habérselo contado a él.

—Mi intención no era humillarlo si es eso lo que usted piensa. Sólo pretendía comprometerlo públicamente. Ahora, le costará más tratar de impedirlo.

—No lo he visto con ánimos. Más bien, su padre parecía un fantasma. Creo que ha sido un duro golpe. Ahora bien, con él nunca conviene bajar la guardia.

—Lo sé. Maud se encargará de buscarme un lugar seguro en Londres para hospedarme antes de embarcar.

—Eso si su carruaje no sufre un secuestro cuando se dirija a la capital.

—Le aseguro que partiré con tiempo e iré prevenida. Desde aquel día, siempre llevo un puñal en la bota.

La señora Young sonrió sin estar demasiado convencida de que eso le valiera de ayuda y le sirvió una trucha recién hecha.

Tess estuvo tentada de contarle a la señora Young que Blake evitaba a la policía, pero llegaron más empleados y optó por callar. También se había reservado esta información ante Maud, pues le había parecido que ella defendía a Blake y, si también se encontraba bajo su influjo, era mejor esperar a tener pruebas más contundentes antes de acusarlo en público.

Por la tarde, después de cerciorarse de que los Palmer aún no habían regresado, Tess decidió ir al cementerio. Hacía unos días que sentía esa inquietud, y ahora había crecido al pensar que desde Australia ya no podría visitarlo. Por el camino recogió flores que, luego, colocó sobre la tumba de su madre y de su abuela. Permaneció ante ellas durante largo rato y se sorprendió a sí misma sintiendo también una nostalgia inaudita hacia su padre.

Y de pronto, no supo por qué, pensó en el señor Wayne. Decidió que no podía marcharse sin averiguar el asunto que se interponía entre él y su padre y resolvió que al día siguiente acudiría a la herrería sin demora.

Cuando comenzó a levantarse el viento, a punto de atardecer, abandonó el cementerio y decidió atajar campo a través, en lugar de atravesar el pueblo. Con paso apresurado, llegó al hotel, pero en lugar de entrar, fue a buscar la bicicleta con una intención premeditada.

Antes de volver a partir, miró a un lado y a otro para garantizarse de que no había nadie cerca que estuviera pendiente de ella.

No montó en la bicicleta, sino que la cogió y avanzó con ella hacia la zona arbolada. Tenía el ceño fruncido, como si un propósito hubiera anidado en él y estuviera determinada a llevarlo a cabo. Una vez que consideró que estaba lo suficientemente apartada para no ser vista por nadie, buscó una pequeña elevación rocosa y, con un poco de esfuerzo, subió la bicicleta hasta ella.

De nuevo, miró a un lado y, luego, al otro y no vio a nadie. Calculó cuál era el mejor modo de llevar a cabo sus intenciones y, a continuación, dejó caer la bicicleta violentamente, arrojándola contra unos salientes pedregosos.

El estrépito que produjo le dolió, pues se sentía encariñada con aquel artefacto, pero ahora no había tiempo para remilgos. Enseguida descendió hasta la bicicleta para comprobar su estado.

Entonces lo vio. Blake se encontraba justo detrás de la pequeña elevación cuando ella había arrojado la bicicleta y la contemplaba divertido e intrigado a la vez.

—¿Le ha llevado la contraria? —se burló—. ¿O es que no quiere que nadie más la utilice una vez que se haya marchado?

—Tiene usted el don de aparecer cuando menos se lo espera —dijo algo intimidada por haber sido sorprendida. No tenía ni idea de cómo iba a explicar su comportamiento, así que le dio la espalda.

—¿Está inventando un nuevo deporte y no quiere que nadie lo descubra?

Mientras él ironizaba, Tess levantó la bicicleta y la examinó. Estaba doblada y tenía un eje salido. Probó a hacerla caminar, pero una rueda se negaba a moverse.

—¿Qué piensa hacer con ella? —preguntó Blake—. No sé si el chatarrero le dará lo suficiente como para costearse un billete hasta Australia.

Y viendo que ella continuaba sin responderle y seguía ofuscada tratando de hacer mover el vehículo, Blake se acercó hasta la bicicleta y la cogió en brazos.

—¿Quiere que la lleve a alguna parte? —preguntó ahora sin ningún atisbo de burla.

—No lo sé —dudó ella, que no quería que aquel hombre se implicase en este asunto—. Aunque consiga llevarla hasta el hotel, mañana no sabré cómo trasladarla hasta la herrería.

En aquel instante, Blake comprendió cuáles eran sus intenciones. Sabía que ella ignoraba los motivos por los que el señor Gardner no quería relacionarse con Wayne, al igual que los desconocía él cuando lo contrató para las pistas de tenis. Sin embargo, a Blake no le había costado mucho averiguar por qué el dueño del hotel evitaba al herrero y estaba convencido de que ahora Tess se proponía hacer lo mismo. Sin embargo, no dijo nada sobre sus sospechas.

—Si es lo que quiere, yo mismo la llevaré a la herrería —se ofreció, aunque no estaba seguro de que debiera inmiscuirse.

Esta vez ella no se mostró dudosa en su respuesta.

—¡No! —negó Tess enseguida, y la determinación con que lo hizo le demostró a Blake que sus sospechas eran correctas—. Puedo ir en el carruaje de los pedidos, no necesito su ayuda.

—Pero ahora sí desea que lleve la bicicleta hasta el hotel, ¿no es así? —le preguntó él, su con media sonrisa burlona, al tiempo que la miraba de arriba abajo como si calculara su fuerza.

—Se lo agradecería —titubeó ella, que hubo de tragar su orgullo al ver que sola no podría hacerlo.

Él mostró una expresión de satisfacción que no intentó disimular y, con voz claramente seductora, añadió:

—Bien, pues si ese es su deseo y si además me lo agradecerá, no veo ningún inconveniente en ayudarla.

No fue sólo el tono de su voz, sino todo él lo que hizo que Tess comprendiera por qué las otras mujeres caían rendidas ante su presencia.

XIX

୭ଶ୬

Eran las tres de la mañana y Tess volvió a despertarse una noche más. Tenía el sueño inquieto, como últimamente, y notó que se le habían enredado las sábanas de tanto dar vueltas. Cambió de postura y volvió a cerrar los ojos, pero tras varios suspiros, decidió levantarse.

Se colocó la bata y se asomó a la ventana sin abrirla, pero su agitación no se esfumó.

Notó que, en el reflejo de los cristales, su rostro se dibujaba un asomo de sonrisa y enseguida procuró borrarla porque sabía que estaba pensando en Blake. Se mordió los labios para evitarla y, al notar la cálida humedad que ella misma se produjo, sintió el sabor del beso que nunca le había dado. Y lo deseó.

No le gustó tomar conciencia de ello y primero pensó que el deseo de ese beso había nacido la noche del embarcadero, pero luego empezó a sospechar que, tal vez, lo había hecho mucho antes y, aunque no podría decir cuándo, la ansiedad la estaba constriñendo por dentro. Contra su voluntad, sentía la necesidad de saciarla y perderse en los brazos de Blake.

Debería haber tenido remordimientos hacia el señor Farrell, pero, aunque los buscó, no logró encontrarlos. Sin embargo, sí los sintió por parecerse demasiado a lo que odiaba de Olympia Larraby. Y eso no le gustó.

Un ligero bochorno la acarició por dentro y tomó conciencia de su debilidad. Se creía más invulnerable, más inmune a las pasiones mundanas, pero ahora caía presa de ellas como una vulgar descarada mientras sentía los calores del alma y los temblores del vientre.

Cohibida, se obligó a buscar las cartas del señor Farrell en un esfuerzo de anular sus fantasías de mujer, pero no logró entender ni una línea. Por mucho que las mirara, un resoplido lánguido le hizo entender que su esfuerzo era vano. Si en aquellos momentos se encontrara en el embarcadero con Blake junto a ella, cerraría los ojos y abriría los labios para exigir ese beso. Y se perdería en él como lo haría cualquiera de las mujeres que lo revoloteaban, sin pensar en las consecuencias, en el respeto ni en la dignidad.

Luego, recordó el momento en el que habían regresado juntos al hotel. Él, cargando su bicicleta, y ella, tratando de disimular sus rubores ante la sonrisa satisfecha de ese hombre. En aquel momento, aunque entonces no se había atrevido a decírselo a sí misma, también deseaba que él dejara la bicicleta en el suelo y la agarrara a ella contra sí para obligarla a sentir la intensidad de un beso que había quedado pendiente.

Odió esa flaqueza en ella misma, aunque al mismo tiempo se dejó caer rendida sobre un sillón. Permaneció allí más de media hora dejándose llevar por fantasías prohibidas hasta que el frío la venció y regresó a la cama.

Al día siguiente despertó queriendo olvidar los espejismos de aquellos interludios nocturnos, negándose a sí misma que anidaba una voluntad en su cuerpo contraria a su determinación y fingiendo que ignoraba, una vez más, esos desvelos oscuros durante el sueño.

Antes de bajar a desayunar, la ventana le ofreció un día blanco. La niebla se había levantado al amanecer y, ahora, desvanecía ante la mirada el entorno del hotel. Algunos días era normal que, a primera hora, una neblina flotara sobre el lago, pero más tarde desaparecía con la fuerza solar. El albor níveo y húmedo de hoy era una excepción y, sin dejar de ser hermoso, impidió que Tess saliera del hotel durante todo el día.

Tenía la intención de ir a la herrería, pero decidió dejarlo para el día siguiente cuando notó que la confusión que originaba la niebla se identificaba con la confusión que sentía en su interior.

Para no encontrarse con Blake, pues tenía miedo a su propia reacción, pasó casi todo el día leyendo en sus estancias y, cuando llegó la noche, no podía recordar cuántas veces se había levantado para asomarse a la ventana y dejar que su imaginación la traicionase una vez más. Había estado tentada de bajar a cenar al comedor principal, por si se encontraba con los Palmer, pero el aturdimiento que aún notaba en su interior la hizo desistir.

Al día siguiente, la niebla se había disipado y Tess, tras el desayuno, pidió discretamente a un empleado que colocase la bicicleta en la parte trasera del carruaje de pasajeros. Luego, no sin antes asegurarse de que su padre no la había visto, subió con ellos y se dirigió a Horston.

El conductor tuvo la deferencia de dejarla en la calle de la herrería e incluso le ayudó a llevar la bicicleta hasta ella. Antes de despedirse, le rogó:

—Por favor, no le diga a su padre que la he acompañado.

Tess lo miró desconcertada, pero no respondió porque en ese momento se asomó el señor Wayne igualmente sorprendido ante su llegada.

Ella dudó un momento, al sentir su mirada escrutadora, pero trató de sobreponerse.

—Hace dos días tuve un accidente —se justificó mientras él observaba el estado de la bicicleta.

—¿Usted se encuentra bien? —le preguntó él con una preocupación que pareció sincera.

—Sí, sí, estoy bien. Fue aparatoso, pero yo sólo me hice unos rasguños. Pero ella no ha salido tan bien parada. —Procuró bromear mientras señalaba el vehículo— ¿Tiene arreglo?

Wayne se agachó para maniobrar la rueda y comprobar el eje.

—Sí, es menos grave de lo que parece. En una hora puedo tenerla disponible si la necesita ya. Aunque quedará con alguna zona un poco abollada. Si prefiere que también arregle la chapa, deberá dejármela al menos dos días.

—No, no me importa que tenga abolladuras. Sólo es una bicicleta. ¿Y dice que puede empezar ahora mismo?

Wayne sonrió.

—Tengo trabajo pendiente, pero no urge. No me gustaría que se quedara sin poder pasear en bicicleta por mi culpa.

—Se lo agradeceré mucho —comentó y, con voz suave, se atrevió a decir lo que intentaba desde el primer momento—. Lamento que mi padre lo despidiera. Me hubiera gustado, sinceramente, que usted se ocupara de las pistas de tenis.

Wayne la miró esta vez con seriedad y ella notó que le dolió recordarlo.

—Usted no tiene la culpa.

—No, pero sí mi padre.

—No es culpa de nadie, señorita Gardner. El señor Blake me contrató con la mejor de sus intenciones, pero su padre prefiere trabajar con otra herrería de Sunday Creek.

Ella protestó ante su indolencia.

—No lo entiendo. Usted tiene buena fama y está más a mano…

—No le dé más vueltas, señorita Gardner. Su padre intentó indemnizarme, pero yo no podía aceptar su dinero simplemente por haber hecho unas mediciones.

—Perdió su tiempo —le hizo ver.

—No tiene importancia.

—¡Sí la tiene! —exclamó enfadada ella—. No entiendo cómo mi padre no se da cuenta de que el hecho de contratar a una herrería de otro pueblo supone una ofensa hacia usted.

—La herrería funciona bien sin las limosnas de su padre —respondió él sin disimular cierto desdén.

—Tal vez, pero eso no es perdonable entre vecinos. Mi padre no debería hacerle este feo.

Esta vez Wayne no contestó. Bajó los ojos un momento y, luego, cogió la bicicleta para entrarla en el taller. Mientras lo hacía, comentó:

—Es posible que, de todos los feos que pueda hacerme su padre, ese sea el que prefiera.

Ante esa respuesta, Tess lo siguió y de nuevo se colocó frente a él.

—¿Qué quiere decir? ¿Qué más le ha hecho mi padre?

Wayne depositó la bicicleta sobre una mesa y cogió una llave para desencajar la rueda delantera. Después de un silencio y ante la mirada interrogante de Tess, comentó:

—Si valoro todas las cosas que ha hecho su padre respecto a mi persona, aunque sólo sea por una de ellas, lo único que puedo decir es que le estoy agradecido.

Tess quedó perpleja ante esta respuesta. Luego, con voz vacilante, volvió a preguntar:

—Entonces, ¿es usted quien ha hecho algo que él no perdona?

Wayne la miró a los ojos y pensó un momento antes de responder.

—Es posible, señorita Gardner. Sin embargo, debo decir que no me arrepiento.

De nuevo se hizo el silencio. Tess intentaba descifrar sus palabras, pero como no lograba entender a qué se refería, la curiosidad la empujó a seguir interrogando.

—Y ¿puede decirme qué tipo de cosa hizo que sea tan imperdonable a ojos de mi padre?

—No rebusque más, señorita Gardner. Le puedo asegurar que yo no he hecho nada impropio y, si su padre no estuvo conforme, es algo en lo que debería haber pensado antes.

—¿Antes de qué?

—Antes de lo que sea —respondió ahora algo molesto—. Y usted no debería estar aquí. Puedo mancharle el vestido de grasa en cualquier momento. Si sale a dar un paseo y regresa en una hora, tendrá la bicicleta lista.

—¿Por qué hay tanto secretismo en este asunto entre mi padre y usted? ¿Por qué ninguno de los dos quiere contarme lo que ocurrió?

—Es muy posible que su padre sólo quiera protegerla —respondió Wayne sin mostrar ganas de añadir nada más.

—¿Protegerme de usted?

En ese momento, entró la señora Mitchell en la herrería y Tess hubo de callar. Wayne se dirigió a la recién llegada, dejando claro que daba por finalizada la conversación con la hija del señor Gardner.

Tess aún esperó un minuto más a que el herrero le hiciera caso, pero como él continuó atendiendo a la señora Mitchell, ella se dio cuenta de que por el momento no tenía nada que hacer.

Salió de allí más intrigada de lo que había llegado y se dirigió a la estación de ferrocarril. No le apetecía encontrarse a ningún conocido y pensó que en un lugar donde la gente iba y venía con prisas nadie la detendría.

Y así fue. Deambuló por los andenes y, aparte de algún saludo, nadie le dedicó más palabras de las requeridas por la ocasión. Tuvo tiempo de imbuirse en las pistas que tenía sobre lo sucedido entre su padre y Wayne. Sabía que existía un rumor que databa de 1866, cuando el herrero tenía nueve años, pero nadie le quería explicar de qué se trataba. Y sabía que Wayne había hecho algo que había podido ofender a su padre, al menos, eso es lo que pudo deducir de sus recientes palabras. Pero su padre tenía algo que ver con ese hecho, porque, como también había dicho Wayne, él debería haberlo pensado antes. Por tanto, lo sucedido tenía que ver con un primer acto de su padre del que Wayne tan sólo se había vengado. ¿Con nueve años? No tenía ni idea de qué podía tratarse.

La confusión la martilleaba en su cabeza. Cuantas más vueltas le daba, los interrogantes se multiplicaban en lugar de aclararse. Y aquello que al principio no había tenido importancia, un malentendido entre su padre y otra persona, empezaba a magnificarse en su pensamiento.

Además, Nicholas Wayne había dicho que lo más probable era que su padre sólo tratara de protegerla. ¿Protegerla manteniéndola en la ignorancia de lo sucedido? ¿Y de qué la protegía? No lograba entenderlo.

Sin darse cuenta, abandonó la estación de ferrocarriles y continuó paseando sin dirección. A los diez minutos, se encontraba plantada ante los establecimientos Delaney & Whittemore contemplando, sin ver, los extravagantes sombreros que se mostraban en su escaparate.

Sólo tomó conciencia de ello cuando la señorita Whittemore se asomó desde la tienda y le comentó:

—¡Buenos días, señorita Gardner! ¿Desea probarse alguno?

Aunque estuvo tentada de incumplir la palabra que había dado a su padre y aprovechar la ocasión para preguntar por el rumor del señor Wayne, finalmente Tess se limitó a un escueto saludo y se alejó de allí.

La señorita Whittemore quedó decepcionada ante su escasa cordialidad.

Había pasado poco más de una hora cuando regresó a la herrería. Esta vez regresaba con su propósito de averiguar lo ocurrido más reforzado. No tenía intención de arrojar la bicicleta otra vez desde un peñasco para conseguir una nueva excusa. La incertidumbre la estaba consumiendo.

Esta vez no vio a Wayne, pero en cuanto un empleado notó su presencia allí, enseguida le entregó la bicicleta.

—Ya puede usarla –le comentó sonriente.

—Gracias –respondió mientras su mirada continuaba buscando al dueño–. ¿Podría hablar con el señor Wayne?

—Ha tenido que ausentarse, pero me ha dicho que no se preocupe por el precio. Es una deferencia de la casa.

—¿Quiere decir que no piensa cobrarme?

—Eso ha dicho, señorita Gardner.

XX

❧

Si la ignorancia por lo ocurrido entre Wayne y su padre continuaba amedrentando a Tess, también lo hacía la incertidumbre de por qué Blake evitaba al señor Palmer. Desde que el comisario de Scotland Yard se hospedaba en Maple Path, él se las había apañado para no coincidir con él o, al menos, Tess aún no los había visto juntos en la misma estancia.

El viernes por la mañana meditaba sobre esta cuestión mientras desayunaba. El señor Harding y la señorita Morris habían ido a buscar a los Palmer para pasar el día juntos y Tess sospechaba que no regresarían hasta la noche. De este modo, Blake poseía carta blanca para pasearse por el hotel tranquilamente sin necesidad de ocultarse del comisario.

Estaba terminando el té cuando su padre y Blake entraron en las zonas de servicio y se dirigieron a ella.

—Tess, querida –le dijo su padre–, necesito que me hagas un favor.

—Si me está pidiendo algo por favor, noto un gran avance en sus modales, padre –respondió ella procurando no mirar a Blake.

Gardner estuvo a punto de responder a su provocación, pero hizo un esfuerzo y, con voz aún amable, añadió:

—Necesito que acompañes a Blake hasta la Cueva del Manco.

Tess abrió los ojos con sorpresa, miró a Blake, luego, a su padre y preguntó:

—¿También piensan dedicarse al contrabando para mejorar el hotel?

—Hace mucho que esa cueva no se usa para esos menesteres —rechazó Gardner, haciendo un nuevo esfuerzo por no discutir y, dirigiéndose a Blake, añadió—: El lugar está a mitad de camino entre Horston y Candish. Candish es un pueblo costero y durante mucho tiempo el contrabando fue uno de los sustentos de sus habitantes. Pero eso terminó ya hace décadas.

—No está precisamente cerca. ¿No puede acompañarlo Sam? —propuso Tess, que se debatía entre las ganas de rechazar la propuesta y el deseo que se negaba a reconocer de acercarse a Blake.

—Sam está ocupado, igual que el resto del personal. Recuerda que hoy llegan los de la convención de Entomología —respondió Gardner.

—¿Y puedo saber qué interés tiene el señor Blake en esa cueva? —preguntó ella con tono sarcástico—. ¿Piensa enterrar allí algún cadáver?

—Blake te lo contará por el camino. Ahora, sube a cambiarte, no puedes montar con ese vestido. Yo pediré que ensillen los caballos.

Tess obedeció, para sorpresa del forastero. Se justificó a sí misma su predisposición a acompañar a Blake pensando que así tendría una oportunidad para indagar sobre su pasado. Pero ante él, mostró un rostro resignado y procuró simular que accedía de mala gana.

—Señora Young, sírvame un trozo de esa tarta y un café —comentó Gardner cuando Tess ya se había ido y Blake había hecho lo mismo.

—Debería echarle sal en el café —comentó la señora Young y, cuando el dueño del hotel la contempló interrogante, añadió—: Estoy convencida de que no trama nada bueno. ¿Qué pretende ahora?

—Sacar algún provecho a la Cueva del Manco, como es obvio.

Ella lo contempló con desfachatez, mostrando una mirada escéptica y unas arrugas exigentes.

—Lo que es obvio es que usted está juntando a ese hombre con su hija. Espero que no pretenda lo que sospecho.

—Estoy desesperado, señora Young. Si no hago algo ya, mi hija se irá para siempre —confesó con voz decaída—. No necesito emparejarla con alguien rico, necesito que se quede. Si es con Blake, pues que sea con él —admitió—. ¿No dicen que ese hombre vuelve locas a las mujeres? Pues espero que mi hija sea una mujer con todas las de la ley.

—¿Y el señor Blake ha aceptado su propuesta de seducirla? ¡Será canalla! Le advertí que traería problemas, pero usted se ha anticipado y ha ido a buscarlos. ¡Y a costa de Tess!

—Blake no sabe nada todavía. Pero si mi hija estuviera dispuesta... No creo que Blake resultase un problema. Si aceptara casarse con ella, lo convertiría en mi socio y algún día el hotel sería suyo. Es un tipo listo y ambicioso, no pondrá objeciones.

—¡No tiene usted vergüenza! ¡Comprarle un pretendiente a su hija! ¿Le parece bonito?

—No me sermonee, no tengo ganas de aguantar moralinas.

Mientras la señora Young discutía con Gardner, Blake también había acudido a cambiar su traje por unas ropas más adecuadas, pero como estuvo listo antes que Tess, la esperó en el jardín examinando los caballos.

Cuando ella llegó, él le tendió la mano para ayudarla a montar y ella la aceptó, pero, en lugar de agradecérselo, añadió con una sonrisa irónica:

—No soy ninguna inexperta, he subido a muchos caballos antes de hoy y sin ninguna ayuda.

—Estoy tan sorprendido de que haya aceptado acompañarme que no me dejaré ofender por un comentario como ese —respondió él mientras también montaba sobre el suyo.

—Estoy segura de que ha sobrevivido a mayores mordacidades.

Ahora fue él quien sonrió y, a continuación, emprendió la marcha.

—¿Hay que atravesar Horston? —preguntó Blake.

—No, hay un desvío prácticamente saliendo del hotel. En cuanto lo cojamos, podemos acelerar el paso. Tardaremos casi una hora en llegar.

—Celebro que tuviera la mañana libre.

—No se equivoque, señor Blake. Simplemente, no me apetecía discutir con mi padre.

—Y tenía la mañana libre —añadió él risueño.

Ella hizo un esfuerzo para no sonreír y enseguida comentó:

—Hace unos años encontraron muerto al hijo de los Evans.

—¿En la cueva?

Tess asintió.

—Tenía siete años y debió de marcharse de su casa en un descuido. Hubo una partida para buscarlo, pero nadie imaginaba que hubiera ido tan lejos. Lo más probable es que se refugiara allí para pasar la noche, pero era enero y el frío pudo con él.

—Lo lamento —comentó Blake sorprendido porque ella le contara algo así.

—Ya han pasado quince años. Los Evans tenían tres hijos entonces y después tuvieron dos más.

—La vida se abre paso. Aun así, la muerte de un hijo nunca se olvida.

Tess no contestó. Continuó avanzando hasta llegar al camino de Horston y, cuando hubieron dejado el hotel atrás, volvió a hablar.

—¿No va a contarme su interés por esa cueva? ¿Ha robado un tesoro y busca un lugar para esconderlo?

—Siento desilusionarla, pero no existe tal tesoro. Y todas mis víctimas ya están enterradas, así que también puede descartar que se trate de un cadáver —respondió de nuevo sin ofenderse.

—Entonces, ¿por qué le interesa tanto?

—Se le puede sacar provecho.

—¿Para guardar las ganancias del póquer?

—Para atraer a turistas —contestó haciendo una pausa para intrigarla. Pero al ver que ella no preguntaba nada más, añadió—: Quiero ver si tiene algún resto arqueológico.

Ella abrió los ojos sorprendida.

—Hace unos años estuvieron aquí unos arqueólogos y no encontraron nada de su interés. ¿No se lo ha dicho mi padre?

—El interés se lo podemos añadir nosotros —respondió él al tiempo que le guiñaba un ojo.

—¿A qué se refiere?

Blake sonrió.

—Supongo que no es tan ingenua como para no adivinarlo. Con fingir que se ha encontrado algo y añadirle una leyenda a la cueva, ya tenemos por dónde empezar.

—Si mi padre está de acuerdo con eso, es tan estafador como usted.

Y, dicho esto, cogió el desvío y aceleró el paso con un gesto de reprobación.

Él se colocó a su altura y comenzaron a galopar, pero sin forzar a los caballos. El viento era frío y cortante y su silbido se sobreponía a las voces, así que durante el trayecto apenas cruzaron palabra. Cuando ya estaban cerca del lugar, nuevamente redujeron el paso, ya que tuvieron que internarse en una zona boscosa.

Tess se había colocado delante y él la seguía a poca distancia. Al cabo de unos minutos, llegaron a un claro donde una llanura se extendía hasta el pie de una colina.

—Habrá que dejar los caballos allí —dijo Tess señalando una zona arbolada no alejada del pie de la pequeña montaña.

Antes de llegar hasta ella, desmontaron al lado de los últimos árboles para poder amarrar los animales. Blake cogió un quinqué y, a continuación, emprendieron el paso hacia la colina, en la cual, desde allí, no se distinguía ninguna caverna.

—Espero que lo que se invente no tenga que ver con ningún fantasma —comentó Tess, que había estado pensando sobre el tema—. Eso podría lastimar a los Evans.

—Tal vez tenga más escrúpulos de los que usted me atribuye, señorita Gardner.

—O tal vez no tenga ninguno.

—¿Puedo saber cuándo acabarán sus insultos? Admito que merecía algunos, pero creo que ahora ya se trata de una afición por su parte.

—Oiga, señor Blake —dijo Tess deteniéndose—. No se trata sólo de que participara en la farsa de mi secuestro, sino de todas las cosas que está trayendo a Maple Path. No me simpatizan los naipes y mucho menos las partidas ilegales. ¿Y ahora me dice que está dispuesto a mentir a la gente sobre una cueva insignificante sólo para conseguir algo de dinero? Mis principios, créalo, están muy lejanos a los suyos.

—Insiste mucho en mostrarse intachable.

—No presumo de perfección, pero, al menos, mis defectos no son inmorales.

—Entonces, ¿por qué me acompaña? Le aseguro que en Londres no se considera moral el hecho de que una joven pasee con un hombre sin carabina.

Ella no pudo evitar sonrojarse, pero trató de disimular sus sensaciones.

—¡Horston no es Londres! En los pueblos las mujeres podemos pasear solas y, a veces, es inevitable acabar alternando con un hombre. Le recuerdo que, cuando lo conocí, usted avanzaba por el camino con la señora Dobbin.

—¿Y es la señora Dobbin lo que usted considera un ejemplo de moralidad?

Tess recordó lo descarada que se había mostrado ella coqueteando con Blake y, tras unos segundos, respondió:

—Su moralidad no tiene nada que ver con haber paseado junto a usted. ¡Y yo no soy como ella! ¡Ni como Olympia Larraby!

Blake la contempló intrigado por esa alusión y enseguida aprovechó para decir:

—¿A qué ha venido mencionar a la señorita Larraby?

Tess se ruborizó nuevamente y le dio la espalda para continuar el ascenso.

Pero él la alcanzó, la agarró por un brazo y la obligó a girarse.

—¿No va a contestarme?

—Usted tampoco contesta a mis preguntas —respondió ella a la defensiva.

—¿Qué preguntas?

—Todavía estoy esperando que me diga a qué se dedicaba antes de venir aquí y por qué tuvo que huir de Londres.

Él frunció el ceño y, aunque no la soltó, aflojó su brazo. Tess no hizo nada por zafarse y lo contempló con decisión a la espera de que le diera una explicación.

—Su imaginación quedaría decepcionada —comentó él, devolviéndole la dureza de su mirada.

—Lo único que imagino es que usted oculta algo y sus reticencias a hablar de ello no hacen más que reforzar esa idea. ¿Qué le ha contado a mi padre? ¿Que es usted experto en arqueología? ¿En instalaciones eléctricas y cabinas elevadoras? ¿En saber conducir un negocio? —le recriminó—. Hasta el momento, lo único que ha demostrado es que sabe jugar al póquer, señor Blake. ¡Esas son sus credenciales!

—¡Sí, sé jugar al póquer! —exclamó él con voz firme, pero no ofendida—. Lo necesité durante una parte de mi vida en la que no tenía nada que perder. Cuando uno no nace en la cuna adecuada, señorita Gardner, se ve obligado a ciertas cosas si quiere prosperar.

—¿Prosperar? Usted llegó aquí hace unas semanas sin nada. ¿De qué prosperidad habla? ¿Qué había conseguido antes de ahora? Y, si aquí ha prosperado, ha sido porque mi padre se ha dejado embaucar por sus ideas, no entiendo por qué. Pero no creo que su suerte vaya a durar mucho. ¡Uno no puede huir de su pasado!

XXI

∽✦∽

—¿Y usted se siente autorizada a hablar de huidas? —se burló él—. ¿En serio quiere hacerme creer que se va a ir a una granja perdida en Australia en busca de un futuro prometedor? No, señorita Gardner, la que huye de un pasado, que aún es su presente, es usted.

Ella se giró con rabia y respondió:

—No tiene derecho a hablar de mi vida...

—¿Y usted sí lo tiene a juzgar la mía?

Tess lo miró de manera severa y le recordó:

—Sus actos, señor Blake, afectan a mi padre. No puede compararnos.

—Y creo que su padre está satisfecho con esos actos que usted tanto censura, mientras que los de usted... —No terminó la frase, pero en el aire quedó el reproche que le hacía como hija.

—¿Cómo puede tener la desfachatez de aludir a mi relación con mi padre? —protestó ella indignada.

—La mención a su padre, señorita Gardner, ha provenido de usted —se defendió él, aunque en lo más profundo, se arrepentía de sus últimas palabras, porque sabía que la estaba lastimando.

Ella no respondió. Apretó los labios al reconocer que él tenía razón y le dio la espalda nuevamente para continuar la ascensión.

Blake tampoco añadió nada más, a pesar de la tentación de disculparse.

Al cabo de unos minutos, llegaron a la entrada de la cueva y él, con voz ahora más amable, preguntó mientras encendía el quinqué:

—¿Le apetece entrar?

—Por supuesto. Tengo mucha curiosidad por saber qué partido le saca a esa gruta —comentó a modo de burla.

—Vaya con cuidado, es posible que más adentro resbale —comentó él sin tenderle la mano y empezando la incursión—. Eso si no hay ninguna alimaña que pretenda tomarla por su almuerzo —añadió mientras empezaba a avanzar.

Tess lo siguió con soberbia y precaución. Temía que hubiera algún animal en la cueva, pero su riesgo inminente era resbalar y no quería sentirse humillada nuevamente ante él. Si bien los primeros pasos fueron cómodos, a partir de que se alejaron de la luz solar, la cavidad empezó a estrecharse y la altura se redujo de tal modo que los obligó a agacharse. Al cabo de unos momentos en los que Tess luchó contra su propio orgullo, por fin desistió de seguirlo.

—Creo que esperaré fuera —dijo mientras se detenía.

—Por fin dice usted algo sensato —comentó Blake sin cesar en su avance.

Tess comenzó a retroceder y, al cabo de un instante, él añadió:

—Si corre algún peligro, grite.

—No necesito su custodia —rechazó Tess con desdén.

Y, luego, continuó su camino hasta la salida.

El viento se había detenido, pero el sol comenzaba a disminuir su fulgor. Una neblina ascendía por la ladera y Tess notó que la humedad aumentaba su sensación de frío.

Se abrazó a sí misma y se movió en círculos para entrar en calor, pero al cabo de cinco minutos vio que la niebla la envolvía.

Comenzó a descender de la colina, procurando no tropezar y, cuando llegó a la llanura, se dirigió hacia los caballos en busca de una manta. Después de arroparse, decidió estirar las piernas y entrar en calor adentrándose en la zona arbolada.

Blake salió de la gruta veinte minutos después y, cuando no la encontró allí, un estremecimiento lo sobrecogió. Desde aquel punto, la niebla le impedía divisar los caballos y bajó apresurado con la esperanza de encontrarla junto a ellos. Durante unos momentos, por su cabeza pasó la idea de que ella se hubiera marchado. La creía muy capaz, y le asustaba que pudiera pasarle algo por el camino y se dijo a sí mismo que, a ojos de Gardner, él sería el responsable si ocurría algo.

Cuando llegó hasta los caballos y vio que los dos animales estaban allí, pero no Tess, comenzó a gritar su nombre cada vez más preocupado. Primero se dirigió hacia la zona de brezos, pero no distinguió su silueta, así que retrocedió hacia el principio del bosque.

Ella ya regresaba cuando lo escuchó y, en cuanto salió un poco del espesor y lo vio, notó su nerviosismo. Él suspiró aliviado al tiempo que ella se sentía regocijada por dentro ante la posibilidad de que se hubiera preocupado por ella, aunque no lo quiso admitir.

—No debería ser tan imprudente –le reprochó él.

—Sólo estaba paseando –se justificó ella–. No creo haber corrido ningún peligro.

—Me ha dado un susto de muerte.

—¿En serio quiere hacerme creer que le importa lo que pueda pasarme? –preguntó con más afán de escuchar su respuesta que de ofenderlo.

Él no respondió, pero se acercó a ella como si quisiera protegerla de algo y le tendió la mano. Tess sintió un escalofrío, pero la aceptó sin protestar mientras sus miradas se cruzaban y se mantenían durante unos instantes como si hubieran quedado atrapados unos ojos en otros hasta que ella, después de tragar saliva, comentó para escapar del amedrentamiento:

—¿Le resulta interesante?

Esas palabras rompieron algo parecido a un hechizo y él tardó un momento en darse cuenta de que se refería a la cueva. Luego, contestó:

—Grutas como esa hay muchas. Es pequeña y no le veo ningún atractivo. Ni siquiera aunque le inventáramos una historia. Dado el caso, sería mejor incluir un fantasma en el hotel.

—No sé por qué mi padre habrá querido que la viese. Él la conoce.

—Usted también –le recordó Blake.

—Conocía el lugar y había oído hablar de ella, pero nunca había entrado. Además, yo ya le había desaconsejado sobre la misma.

Mientras regresaban, él no soltó su mano y ella no hizo ningún ademán que mostrara que le molestaba, ni siquiera cuando él la apretó más. Una extraña emoción la recorría por dentro y no podía dejar de pensar en que, cuando la había llamado, buscándola desesperado, no había dicho *señorita Gardner*, sino *Tess*. Y sentir su nombre en su boca le había sonado a una caricia desgarrada.

Llegaron a los caballos y Blake le retiró cuidadosamente la manta que la cubría. Luego, la recogió para colocarla en el animal. Tess esperó a que hubiera terminado, como si deseara ser ella la manta y que él la replegara también contra sí, pero Blake se limitó a actuar correctamente. A continuación, la ayudó a montar y ella incluso le dedicó una sonrisa entre complacida y tímida.

Blake no se atrevió a decir nada para no romper el momento de tregua, aunque hubo de esforzarse en ello. Emprendieron el regreso despacio uno junto al otro y, en aquellos momentos, Tess se sintió afortunada. Aunque hubiera deseado que él se comportara menos caballerosamente, ya no tenía frío, sino un calor extraño que le hacía nacer el principio de una sonrisa en la comisura de los labios que procuraba ocultar. Por primera vez, no se arrepentía de sus sentimientos. Por el contrario, se sentía una descarada por haber deseado que él la besara, pero le gustaba esa sensación.

—Me crié en una familia humilde y mi familia no tenía recursos —comentó finalmente Blake, rompiendo el silencio entre ambos—. Cuando mi madre enfermó, necesitábamos dinero para poder pagar las medicinas. El póquer sirvió para que salvara la vida, pero en cuanto salió de peligro, no volví a jugar. Hasta ahora.

Tess se sorprendió ante esa confesión inesperada, pero no estuvo segura de que le estuviera diciendo la verdad. La alusión a la enfermedad de una madre era un recurso fácil si se quería conmover y todavía había algo que le impedía confiar en él.

—¿Y por qué tuvo que dejar Londres? —se interesó ella, esperando que añadiera algo más.

—Hubo un accidente —comentó él, dolido—. Yo trabajaba de capataz y era el responsable de las obras del puente… —hizo una pausa mientras bajaba los ojos y, luego, los volvió a levantar—. Murieron dos personas.

Tras esta afirmación, Tess no dijo nada. Sin duda, esto último había dado verosimilitud a lo primero.

Comenzaron a introducirse en la zona boscosa y, al cabo de un instante, él añadió:

—Después de eso, ninguna empresa quiso contratarme. Tuve que buscar un lugar al que no hubiera llegado mi nombre.

—Lo lamento —comentó ella.

—Ahora ya sabe por qué estoy aquí.

—No creo que el trabajo en un hotel pueda satisfacerle durante mucho tiempo.

Él la contempló intrigado por si había querido decir algo más, pero ella no le devolvió la mirada y Blake se limitó a responder:

—Por el momento, no tengo opción.

—Tal vez, con el tiempo todo se olvide. En Londres las cosas suceden muy rápidamente.

—¿Está tratando de darme ánimos? ¿O simplemente me está mostrando su prisa por verme lejos de aquí?

Tess volvió a callar. No quería mostrar que se sentía conmovida ante la posibilidad de que se fuera y no le importó que él pensara que nuevamente le estaba mostrando su rechazo. Pero también recordaba cómo él evitaba al señor Palmer. Tal vez el comisario conociera esta historia y Blake pensara que, si trascendía a su padre, él decidiera despedirlo. Sin embargo, ahora acababa de confesársela a ella, que no había ocultado su animadversión hacia él. ¿No temía que lo fuera contando por ahí? ¿Tanto confiaba en su silencio?

—¿Y usted? —preguntó Blake mientras ella tenía estos pensamientos.

—¿Yo? ¿Qué me ocurre a mí? —preguntó, desprevenida por la alusión.

—¿Qué le atrae de Australia?

Tess resopló, mostrando deseo de no profundizar en ello. Sin embargo, contestó:

—No puedo vivir cerca de mi padre, eso ya lo ha adivinado usted.

—Es Australia como podría ser Estados Unidos o Rhodesia, del mismo modo que es el señor Farrell como podría ser el señor Milton o el señor Jackson —le hizo ver él, tal vez extralimitándose.

—No es exactamente así —trató de negar ella—. El señor Farrell tiene un carácter muy distinto al de mi padre. Si no pensara que la convivencia puede ser tranquila, no aceptaría.

—¿Convivencia tranquila? ¿Eso es todo a lo que aspira? ¿Qué edad tiene usted? —comentó sin maldad.

—El señor Farrell me parece un hombre honrado y se ocupa de una granja —respondió ella al tiempo que buscaba algo para defender esa relación, pero no encontraba nada convincente, así que decidió pasar al ataque—. ¿Y con qué derecho pregunta usted mi edad?

—¿Y no hay otro sentimiento que la estimule aparte de la convicción de su honradez? —preguntó como si estuviera enfadado y obviando el reproche de ella—. ¿Qué hará? ¿Encerrarse toda una vida en una granja que queda a muchas millas de algún lugar habitado? ¿Es ese el futuro con el que sueña? ¿Piensa dejar pasar su juventud resignada a una vida de convivencia tranquila?

—Estoy acostumbrada a vivir en un lugar sencillo. No necesito los lujos de Londres. Además, todo esto no es de su incumbencia —le repitió.

—Londres sólo ofrece lujos a quien ya los tiene. Mucha gente malvive en la capital, no la idealice. Pero usted no es una mujer para mantener encerrada en una granja.

—¡Le he dicho que esto no es de su incumbencia! ¡Ya tengo bastante con mi padre!

Esta alusión fue la que lo hizo callar.

De nuevo, salieron a campo abierto y aceleraron el paso, aunque más despacio que a la ida. Con la niebla, retomar el camino les daba seguridad, pero no podían galopar demasiado deprisa por si se cruzaban con alguien o algún animal.

Hasta llegar al Maple Path, la conversación no volvió a versar sobre nada personal. Aparte de algún comentario sobre el tiempo o las características de la zona, ninguno de los dos se atrevió a traspasar nuevamente los límites que marcaba el protocolo en una charla formal.

Sin embargo, de alguna manera, Tess sintió que había entre ellos algo parecido a una reconciliación y que, al menos, a partir de ese momento, podrían tratarse de un modo menos beligerante siempre que él no se metiera en su vida.

No pudo despedirse de Blake porque, nada más llegar al hotel, Sam acudió a recibirla.

—La señorita Southgate la espera en el salón.

—Gracias –dijo al tiempo que desmontaba y le daba las riendas–. Antes subiré a cambiarme. Dígale a la señora Young que le sirva un trozo de tarta de zanahoria. Sé que es su favorita.

Mientras ella se alejaba, Blake recogía el quinqué y otros artilugios que había llevado consigo antes de entregar su caballo a Sam. Luego, pasó por recepción y se los entregó al señor Young.

—¿Gardner está disponible? –preguntó.

—Acaba de regresar del pueblo. Está en su despacho.

Blake agradeció la información con un gesto de cabeza y, después, se dirigió al despacho del señor Gardner. Llamó a la puerta, pero entró sin esperar a recibir permiso.

—La cueva no da de sí, pero creo que eso es algo que usted ya sabía.

XXII

❦

—¿No? Es una lástima —comentó el señor Gardner sin demostrar mayor interés—. Por cierto, hay una nota para usted. La ha traído un criado del señor Larraby —dijo al tiempo que se la entregaba.

Blake lo miró sin estar convencido de las intenciones de Gardner, pero tomó el sobre que le tendía y sacó la nota. El dueño del hotel lo contemplaba interrogante mientras él la leía.

—¿No va a contarme qué interés tiene Larraby en usted? —le preguntó Gardner, sin querer demostrar que era una exigencia.

—Me pide que vaya a visitarlo —le explicó Blake.

—¿Cree que podemos tener a otro interesado en los naipes?

—En ese caso, hubiera querido entrevistarse con usted, no conmigo, ¿no cree? —le hizo ver el forastero.

—¡Mmmm! Me pregunto qué interés tendrá en usted ese hombre. ¿Cuándo le cita?

—No dice cuándo. Si no tiene ninguna ocupación para mí, puedo ir mañana y así saldré de dudas.

—Quiero pensar que ambos saldremos de dudas —le dijo Gardner—. Usted trabaja para mí y no quiero que tenga tratos con otros a mis espaldas.

—¿Teme que mejore su oferta de trabajo? —se burló Blake—. Dudo mucho de que me pueda ofrecer algo que supere mis beneficios de los sábados.

Gardner lo observó al tiempo que se preguntaba hasta qué punto ese hombre era capaz de ocultarle algo y, aunque no tuvo duda de que así sería si a él le interesara, prefirió mostrarse ahora de modo más amable. La grosería sólo lo empujaría a irse antes.

—Sea prudente. Ese hombre no tiene escrúpulos a la hora de hacer negocios.

—Yo tampoco —respondió Blake con rotundidad y mirada desafiante.

Gardner no contestó, pero quedó inquieto mientras Blake se marchaba.

Tess bajó al salón para encontrarse con Maud, quien le comunicó que venía a despedirse antes de su viaje a Londres.

—Parto mañana. ¡Me hace tanta ilusión! —comentó al tiempo que la cogía de las manos.

—Eso es estupendo. Me alegro por ti. Cuanto más tiempo pases allí, más gente conocerás —la animó Tess.

—Esta es mi dirección —le dijo Maud al tiempo que le entregaba un papel—. Escríbeme cuando vayas a venir, tía Mary no ha puesto ninguna objeción a hospedarte. Si quieres, podemos encargarnos del pasaje y ya arreglaremos cuentas después. ¿Ya le has pedido al señor Odell tu partida de nacimiento? —le preguntó, pero al notar que la expresión de Tess no mostraba alegría, añadió—: ¿O tu padre lo ha chantajeado y no quiere dártela? ¿Has ido al notario a firmar el poder? ¡Debes estar tan atareada como emocionada!

Tess se sintió abrumada ante esas preguntas, aunque trató de sonreír. No había empezado ninguno de los trámites necesarios para su boda y en esos momentos tomó conciencia de que lo había ido dejando a la espera de no sabía qué.

Sin querer profundizar en el asunto, comentó:

—Estoy en ello, aunque sigo sin estar convencida de que mi padre no vaya a meter baza.

—Entonces, me despediré de ti definitivamente en Londres. Me temo que, si no vienes a visitarnos tú, nunca vuelva a verte. Seguro que a mi regreso ya te habrás ido. Claro que estas Navidades puedo conocer a un diplomático destinado en Melbourne y acabemos siendo nuevamente vecinas. Nunca se sabe. –Le guiñó un ojo mientras bromeaba–. Y no te preocupes por tu padre. Aparte de gruñir, no creo que pueda hacer nada contra tus intenciones. Al menos, legalmente. Ya eres mayor de edad. Hace mucho que persigues ese objetivo, nada podrá detenerte.

Tess bajó los ojos. No sabía por qué, ahora no le apetecía hablar de ese tema y, aunque se alegraba de la locuacidad de su amiga, pues ella no tenía demasiadas ganas de hablar, lamentaba que versara sobre ese tema.

—Por cierto, ¿dónde estabas? –le preguntó Maud–. El señor Young me ha dicho que habías ido hasta la Cueva del Manco, pero no creo que se te haya perdido nada allí. ¿O sí?

—He acompañado al señor Blake hasta el lugar. Mi padre pensaba que se le podía sacar algún tipo de partido.

Procuró decirlo como si no tuviera importancia, pero Maud arqueó las cejas y preguntó:

—¿Has ido sola con Blake? Espero que no se enteren las demás, se dispararían las envidias.

—No me ha quedado más remedio –se justificó–. Justamente hoy han llegado muchos huéspedes al hotel y los empleados estaban ocupados. Él no sabía llegar hasta allí.

—¿Y qué interés tiene esa cueva para ese hombre?

—Al final ha quedado en nada. Pero mi padre quería saber si lo podían convertir en un reclamo para turistas. –Y, a continuación, Tess se lo explicó con mayor detalle.

—No sé si tu padre debería confiar tanto en él. Ayer estuve en casa del señor Harding y tenía visita: el señor Palmer y su familia, a quienes debes conocer porque se hospedan aquí.

Tess asintió interesada y Maud continuó:

—La señorita Morris mencionó al señor Blake y el señor Palmer preguntó si se trataba de Leopold Blake.

—El señor Palmer es de Londres.

—Efectivamente, y trabaja para Scotland Yard.

Tess asintió nuevamente, dando a entender que conocía esa información.

—El señor Palmer no añadió nada más en aquel momento, pero después —continuó Maud—, pude escuchar cómo le decía al señor Harding algo sobre él. No sé de qué se trataba, pero el señor Harding frunció el ceño al oírlo.

Tess pensó que se refería al accidente en el que habían fallecido dos personas, aunque prefirió no contarle a Maud lo que sabía.

—¿El señor Palmer es conocedor de que Blake trabaja aquí?

—No recuerdo que la señorita Morris lo mencionara, pero supongo que se habrán visto. Creo que los Palmer ya llevan aquí algunos días, pero seguro que eso tú lo sabes mejor.

—Sí, pero a veces la gente entra y sale y no se fija en los demás —comentó Tess sin contarle que había visto que Blake evitaba a Palmer.

—La señorita Morris es asidua a Delaney & Whittemore, seguro que, si se trata de algo importante, pronto nos enteraremos.

—Siempre que el señor Harding se lo cuente a su prometida —apreció Tess.

—Sin duda, lo hará. Desde el anuncio de su compromiso, pasan mucho tiempo juntos. Supongo que a estas alturas ya no tendrán mucho que decirse. En casos así, cualquier novedad es aprovechada, no vaya a ser que se aburran antes de casarse y el feliz acontecimiento nunca llegue a producirse.

Tess sonrió.

—Si eso ocurre antes de tu viaje a Londres, no dudes en escribirme —le rogó Maud.

—Te lo prometo —aceptó Tess—. Y si hay rumores de otro tipo, también lo haré. Sé que estarás impaciente por conocerlos.

—Es probable que los haya. Parece ser que el señor Woddward también está interesado en reponer el coro de la vicaría. Debe de haberse enterado de la promesa electoral del señor Harding y no está dispuesto a dejarse arrebatar el puesto.

—¿Estás interesada en formar parte?

—La señora Douglas siempre decía que canto bien. Pero te aseguro que prefiero encontrar un marido en Londres y no tener que ocupar mi tiempo en tediosos ensayos. Sólo sería una posibilidad si me viera camino de convertirme en una señorita Whittemore.

—Estoy convencida de que tendrás suerte –trató de animarla Tess.

—¡Ay! –suspiró–. De lo contrario, acabaré como tú. Respondiendo al primer anuncio de periódico en el que alguien busque esposa.

Tess volvió a sentir una punzada al recordar de nuevo al señor Farrell.

—En fin, se está haciendo tarde. Mi familia me espera y aún tengo que preparar la mitad del equipaje.

—Te echaré de menos.

—Y yo. Sobre todo cuando te vayas a Australia.

Tess la acompañó hasta la salida de los jardines y, luego, subió de nuevo a su habitación con sensaciones encontradas. La conversación la había puesto nerviosa, aunque había tratado de disimularlo ante su amiga. No era la mención del señor Palmer sobre Blake lo que le había hecho nacer esa inquietud repentina, sino la evidencia de su propia dejadez ante su inminente boda.

Era cierto que no había avanzado un paso en los preparativos. Debería dirigirse inmediatamente a la vicaría y hablar con el señor Odell para conseguir su partida de nacimiento. Sin embargo, tampoco se propuso hacerlo durante el día presente, sino que decidió hablar del tema el domingo después del oficio religioso. También debía visitar al señor Bloomfield para el asunto del poder. Pero como pensó que ese trámite era más rápido, también lo dejó para la semana siguiente.

Mientras pensaba en todo esto, se le mezclaban imágenes de la excursión realizada con Blake. Recordaba, sobre todo, la expresión de él cuando la había encontrado, en la que se reflejaba el temor por lo que hubiera podido sucederle y se deleitaba en ese momento en el que se había sentido importante para él.

Revivió el instante en que pensó que iba a suceder algo más entre ambos, pero Blake no había demostrado ser el tipo de hombre que ella había imaginado. Su corrección la decepcionó durante unos segundos pero, luego, trató de consolarse pensado que eso hablaba bien de él.

Por el contrario, la información sobre el comentario del señor Palmer que le había comunicado Maud no le pareció relevante. Sin duda, tenía que ver con su propia confesión y, ciertamente, la publicidad de aquel hecho no le favorecía a la hora de encontrar trabajo. Y no sabía por qué, algo en su interior defendía a Blake.

A su pesar, la imagen de los ojos verdes de ese hombre la acompañó durante todo el día, aunque no volvió a cruzarse con él. Lo vio un par de veces de lejos y, en una de esas ocasiones estuvo a punto de acercarse, pero su orgullo de mujer, o de sangre Gardner, se lo impidió.

El sábado, Blake se marchó antes de que ella terminara de desayunar y se sintió vacía cuando vio que no estaba en el hotel. Justificó su ligera melancolía pensando que la ausencia de Maud le afectaba más de lo que había supuesto. Aún no se atrevía a poner nombre a sus sentimientos, ni a enfrentarse de forma sensata a ellos, pero los intuía. Estuvo tentada de releer las cartas del señor Farrell para demostrarse a sí misma que nada había cambiado pero, finalmente, optó por coger un libro y leer junto al embarcadero. Normalmente, lo hacía bajo un alcornoque que había adoptado en la zona arbolada, pero allí no llegaba el sol y, en cambio, los bancos junto al lago estaban a salvo de las sombras.

Charló con el señor Woods y con algún huésped que quiso aprovechar la mañana para dar un paseo en bote. Un pintor se había acomodado frente al lago dispuesto a captar los secretos del paisaje y Tess se levantó varias veces para asomarse al caballete y admirar el lienzo. Aunque el resultado no era de su agrado, el movimiento le servía para entrar en calor, pues cada vez el día era más frío.

Casi al final de la mañana, aparecieron por el lugar los Palmer. Tess sonrió al verlos y se mostró muy simpática con la esposa y las niñas. Por fin, le fue presentado el comisario de policía, ya que ese era su objetivo cuando había decidido permanecer la mañana allí. Se ofreció a acompañarlos a pasear por el arcedo y les habló de las pistas de tenis que estaban preparando en esa zona.

—Desde que mi padre ha contratado al señor Blake, las ideas para mejorar el hotel no dejan de sucederse —comentó mirando al comisario.

—¿El señor Blake trabaja para ustedes? —se sorprendió el señor Palmer—. Sabía que estaba en Horston, pero no que lo tuviera tan cerca.

—¿Lo conoce usted? —fingió sorprenderse Tess.

—Sí, lo conozco. Aunque supongo que él hubiera preferido que no fuera así.

Tess lo contempló interrogante a la espera de que añadiera algo más.

—Exactamente, ¿qué puesto desempeña en el hotel? —preguntó el señor Palmer en lugar de aclarar su comentario.

—Empezó haciendo arreglos, pero ahora mi padre lo ha convertido en su asesor. Tiene ideas innovadoras como la de las pistas de tenis, añadir un elevador y, esta mañana, he oído que también le ha sugerido a mi padre que instale un teléfono.

—Eso está bien. Los hoteles que se precian de Londres tienen teléfono y elevador, aunque, con pistas de tenis, conozco pocos.

—El tiempo aquí favorece que se pueda jugar más tiempo. ¿De qué ha dicho que conoce al señor Blake?

—No lo he dicho, señorita Gardner. Es un asunto que salió en los periódicos en su momento, pero parece que no ha trascendido a todos los lugares.

Tess volvió a quedar a la espera, pero el señor Palmer se agachó para tomar en brazos a una de las niñas, que se lo estaba reclamando. Aunque él sonrió a su hija, su semblante demostraba que su pensamiento estaba en otro lado. La mirada se le había oscurecido y la tenía perdida en el horizonte.

—Creo que debería hablar con su padre sobre el señor Blake —añadió—. Hay cosas que me parece que debe saber.

Y, dicho esto, dejó a Tess en compañía de su esposa e hijas y él se dirigió al hotel.

XXIII

En realidad, Tess no quedó demasiado intrigada con lo que el señor Palmer tuviera que contar a su padre, pues supuso que se trataba del accidente al que el propio Blake se había referido. Pero eso le hizo entender por qué él había abandonado Londres. El rumor sobre su responsabilidad en el accidente debía haberse extendido como la pólvora y este tipo de cosas, magnificadas y tergiversadas, pues eso acababa ocurriendo cuando iban de boca en boca, podían hacer mucho daño.

Cuando después acudió a almorzar a la zona de servicio, vio a su padre entrar un par de veces y no lo notó preocupado por lo que hubiera podido descubrir. A Tess le pareció inoportuno preguntar por ello delante de los empleados y el buen humor de su padre le hizo olvidar definitivamente el tema. Gardner, incluso, hizo algún comentario jocoso a raíz de la nueva partida de póquer que se celebraba aquella noche por lo que su hija supuso que ninguna información que hubiera recibido había cambiado sus planes.

—El señor Courtenay no está dispuesto a volver, pero el señor Casey suplirá su lugar —añadió Gardner antes de irse—. Espero que Blake sepa desplumarlo.

Por si fuera poco, la referencia a Blake demostraba, a todas luces, que continuaba confiando en él y, de alguna manera, su hija sintió cierto alivio ante esa certeza.

A lo largo de toda la mañana, Tess no se encontró con Blake y más tarde supo que probablemente estaría fuera del hotel durante toda la jornada. Ella apenas salió, pues hacía frío y unas nubes negras lograron que la tarde se oscureciera prematuramente. Antes de cenar, supo que Blake había regresado puntual para la partida, así que perdió la esperanza de encontrarse con él hasta el día siguiente. Porque, por mucho que evitara ser sincera consigo misma, ya no podía eludir las sensaciones que últimamente se despertaban en ella.

Aquella noche, se tomó una infusión y se acostó pronto para no enfrentarse a sus propias contradicciones. Sin embargo, su sueño fue ligero y se desveló en varias ocasiones. En una de ellas, se asomó a la ventana y vio que estaba nevando. Pero no fue la sensación de frío lo que le hizo echar de menos un abrazo que la hiciera entrar en calor.

El día siguiente amaneció más despejado y el sol impidió que la nieve cuajara, pero las zonas de paseo se veían encharcadas y llenas de barro sucio por las ruedas de los carruajes. Durante el desayuno, Tess supo que Blake había vuelto a ganar una suma sustanciosa la noche anterior y que su padre, según la señora Young, estaba exultante y decidido a que continuaran.

Para no ensuciarse los bajos de la falda, Tess prefirió ir a la iglesia en el carruaje de los huéspedes en lugar de usar su bicicleta. Antes de salir, contempló el cielo y, como no vio peligro de mal tiempo, no cogió su paraguas. Luego, por culpa de una señora que caminaba con bastón, salieron con retraso y llegaron a la iglesia cuando el oficio acababa de comenzar.

Eso impidió que pudiera encontrarse con el señor Wayne, a quien tenía ganas de volver a ver, pero también con el resto de habitantes del pueblo, que solían agruparse en tertulias durante los minutos previos al sermón. A la salida, vio agradecida que la señorita Whittemore iba detrás de Lawrence Holstead, que siempre regresaba a Horston para pasar allí las Navidades y, este año, había adelantado su viaje para coincidir con la convención de Entomología.

El señor Wayne se marchó deprisa en dirección contraria a Tess, así que en esta ocasión tampoco pudo abordarlo para agradecerle el arreglo de la bicicleta y nuevamente se sintió frustrada por ello. Cuando, resignada, se acercó al carruaje del hotel, le dio la sensación de que Olympia Larraby se aproximaba a ella con intención de conversar, pero como el vehículo estaba presto a partir, Tess la ignoró y subió cerrando la puerta tras de sí.

No le apetecía hablar con esa presumida y, como Maud ya no estaba allí, sentía que nada la unía a aquel lugar.

Durante el camino de regreso, cayó en la cuenta de que se había olvidado de tratar con el señor Odell el tema de su partida de nacimiento, pero eso era algo que también podía hacer al día siguiente, así que no se sintió mal por ello.

Cuando llegó al hotel, subió a su habitación y decidió cambiarse de ropa. A pesar del frío, se puso un vestido menos remilgado, al que añadió un manto de lana para tapar la parte del cuello que quedaba descubierta. También se aflojó el moño y dejó caer un par de mechones sobre sus orejas y, luego, con los dedos, trató de rizar sus pestañas. Lo hizo todo de forma automática, sin pasar por su conciencia, puesto que, de haber sido así, probablemente se hubiera censurado a sí misma esa actitud.

Antes de salir, regresó a su tocador para cambiarse los pendientes, pues los que había llevado a la iglesia eran muy discretos y la señora Young siempre decía que le favorecían más los de esmeraldas. Luego, descendió al vestíbulo y ojeó hacia un lado y otro, pero como nada de lo que vio la satisfizo, salió hacia los jardines y se dirigió al embarcadero.

Cuando el señor Woods terminó de desamarrar el bote en el que había subido una pareja de clientes, Tess se acercó a él y comentó:

—Parece que por el momento no nevará más.

El empleado alzó los ojos hacia el cielo y respondió:

—Estamos a menos de veinte millas de la costa y eso suaviza la temperatura. Sin embargo, recuerdo un invierno, cuando yo era joven, en que empezó a nevar en noviembre y Horston estuvo teñido de blanco hasta finales de marzo.

Tess se abrazó con el mantón sólo de pensarlo, aunque ella no recordaba ese invierno.

—Esperemos que no vuelva a ocurrir. De lo contrario, de poco nos servirán todas las pistas de tenis que construya mi padre.

—Seguro que atraen a muchos clientes a partir de primavera.

—A partir de primavera ya tenemos muchos clientes. Lo interesante es que vengan en invierno.

—Su padre está convencido de ello.

—Y si no es así, seguro que el señor Blake tiene alguna otra idea estrambótica. Por cierto, ¿sabe por dónde anda? –lo preguntó como quien no quiere la cosa, pero aunque el señor Woods no fue consciente del interés, Tess sí hubo de reconocer, en ese momento, que lo andaba buscando.

—¿Blake o su padre?

—El señor Blake –aclaró ella.

—Lo he visto adentrarse a caballo hacia el bosque. Hará una media hora.

—Seguro que está inspeccionando algún lugar para ver si le puede sacar partido –comentó a modo de burla. Pero como el señor Wood no respondió, enseguida se despidió de él y se dirigió, dando un rodeo por el arcedo, hacia la zona boscosa.

Por un momento, había pensado en acudir a las cuadras a por un caballo para ella, pero le pareció mejor caminar, a pesar de tener que esquivar los charcos que aún no se habían secado.

Aunque normalmente le gustaba apartarse del camino e internarse en zonas más frondosas, en esta ocasión escogió no desviarse de la ruta establecida. Cuando Blake regresara, lo haría por allí y, en el fondo, su intención era encontrarse con él.

Desde que habían ido juntos a la cueva, sentía que algo había cambiado entre ambos y una necesidad imperiosa de volver a verlo había crecido en ella minuto a minuto.

Así que caminó con esa esperanza, que aguijoneaba su conciencia de forma traviesa por mucho que ella no quisiera enfrentarla. Se demoró en la contemplación de la naturaleza, de aquellos bosques que la habían visto crecer y de las montañas como sombras en el horizonte.

No había pasado ni media hora cuando Tess distinguió un caballo a lo lejos y respiró hondamente para procurar calmar los latidos que empezaron a acelerarse en su interior. Refrenó su paso, aunque continuó avanzando para que él no supiera que lo estaba esperando. En cuanto llegó hasta ella, Blake se detuvo, se quitó el sombrero y la saludó.

Tess respondió al saludo mientras él desmontaba. Blake la miró intensamente y ella temió que hubiera intuido que lo estaba buscando. Al fin y al cabo, hubo de reconocer, por primera vez, que esa era la verdad.

—Creo que ayer le fue bien durante la partida de cartas. Dice la señora Young que mi padre está contento —comentó Tess para distender la tensión que sentía.

—No sé si lo celebra o es una nueva ironía contra algo con lo que usted no está de acuerdo —respondió él con voz ambigua, menos amable que la última vez que estuvieron juntos.

Tess dudó un momento antes de contestar.

—El buen humor en mi padre es algo que siempre celebro. —al decirlo, procuró sonreír. No le apetecía volver a enemistarse con él, así que guardó su ironía para otro momento—. Aunque confieso que no es de mi agrado que se produzcan estas partidas.

Él también moderó su voz.

—Sí, ya sé que el juego no le gusta. Y lo entiendo. Ya le expliqué por qué tuve que recurrir a él —comentó Blake, mientras obligaba al caballo a acompañarlos.

—Pero eso no explica por qué lo hace ahora —le recordó ella—. El que sale beneficiado es mi padre.

Aunque en su tono de voz continuaba sin haber sarcasmo, se maldijo por haber sacado de nuevo ese tema. Sin embargo, él no se lo tomó como una provocación.

—No soy un filántropo, señorita Gardner. Su padre no es el único beneficiado. Yo también estoy consiguiendo unos ahorros.

Tess lo miró fijamente y, a continuación, preguntó:

—Mi padre le paga bien. Ahora no necesita jugar —le hizo ver.

—No pretendo quedarme toda la vida aquí.

La afirmación quedó flotando entre ambos produciendo un silencio gélido. Ella sintió una pequeña punzada en el estómago que le produjo una extraña desazón, pero lo disimuló con determinación. Al cabo de unos instantes, se atrevió a formular la pregunta que había comenzado a acongojarla.

—¿Piensa regresar a Londres?

—No. La capital no me gusta. Prefiero los sitios más tranquilos.

—Horston es tranquilo —apuntó Tess arrepintiéndose al momento, pues temió que él hubiese notado cierto interés por su parte.

Blake la observó un instante y ella tembló ante la intensidad de su mirada, aunque procuró fingir que sentía indiferencia.

—Soy más ambicioso —comentó él, como si se justificara.

—No entiendo a las personas ambiciosas —dijo Tess, procurando que su voz sonase alegre y desinhibida—. No diría que mi padre es una persona feliz y, sin embargo, ambición no le falta. Creo que la ambición ha sido el único acicate en su vida.

Él no contestó. Continuó caminando a su lado mientras tenía la mirada fija en el horizonte. Ella tampoco dijo nada, temerosa de ofenderlo con alguna de sus palabras censoras.

—¿Y usted? ¿Cuándo se va? —preguntó al cabo de unos minutos Blake.

Tess se sintió pillada en falta y el rubor acudió a sus mejillas. Pero no hubiera podido adivinar por qué la alusión al señor Farrell le hacía sentir en aquel momento unos remordimientos desconocidos.

—Después de las Navidades. Si mi padre no hace nada para retenerme.

Él se detuvo, se giró hacia ella y la sujetó por un codo obligándola a mirar también hacia él.

—¿Y usted desea irse? —le preguntó con una llama que se debatía entre la pasión y el dolor en sus ojos.

Tess no respondió y cerró los suyos porque en aquel instante supo que él iba a besarla. Y así fue. Cuando ella notó su boca sobre sus labios, lo recibió con la misma furia con la que en otras ocasiones lo había atacado y pronto notó que su cuerpo se fundía de forma descarada en los brazos de aquel hombre que la estaba reclamando.

De pronto, había dejado de tener frío y una pequeña descarga eléctrica la recorría por dentro.

Las manos de Tess buscaron los hombros de Blake, el cuello, su pelo, como si al tocarlo extirpara un deseo escondido al que no le encontraba límite. Él agradeció su respuesta y la apretó hacia sí. Después, besó sus ojos y su frente y, a continuación, volvió a centrarse en la boca con las mismas ansias que la primera vez. Y no había palabras que decirse que expresaran la devoción de lo que se comunicaban con los cuerpos enredados como hiedras.

Al cabo de unos minutos, tuvieron que cesar el beso y suspender la pasión, pues escucharon el sonido de un carruaje a lo lejos.

—Nos ven, pero no pueden distinguirnos —dijo Blake, preocupado por la reputación de ella—. Suba al caballo —ordenó mientras se dirigía al animal que, afortunadamente, había permanecido a su lado.

Tess subió después de él y se colocó a su espalda. A pesar del vestido, se sentó a horcajadas porque se imaginaba que no iban a ir despacio. No le importaba que Blake le viera los tobillos; en estos momentos, temía más ser vista por otros. Ignoraba quién iba en el carruaje que se acercaba y sólo deseaba que no la hubieran reconocido. Vacilante al principio, enseguida se aferró a la cintura de Blake con la excusa de no caer, pero no pudo evitar sentir el placer de rodearlo nuevamente con sus brazos.

Pronto lograron dejar cierta distancia entre el carruaje y ellos, la suficiente para que apenas distinguieran unas siluetas borrosas y, antes de tomar la curva que llevaba hacia el arcedo, Blake paró el caballo y se giró para comentarle:

—Es mejor que nos vean llegar por separado.

Tess estuvo de acuerdo y descendió con su ayuda. Luego, se adentró precipitadamente en la zona boscosa para atajar hasta el paseo de arces mientras Blake continuaba por el camino en dirección al hotel.

Tess corrió con el corazón agitado, palpitando como si no supiera de qué huía, porque en esos momentos no le importaba tanto su reputación como el hecho de haber sentido aquel arrebato.

Cuando por fin alcanzó el embarcadero, vio que no sólo Blake ya había llegado, sino que también el carruaje estaba detenido en la entrada. Observó que era un coche de alquiler y que de él descendían un hombre mayor y otro joven para hospedarse en el hotel. No conocía a ninguno de ellos y supuso que ninguno sabía quién era ella, así que eso la hizo sentirse más segura de cara a posibles rumores.

A continuación, subió a toda prisa a su habitación y se tumbó sobre la cama para sonreír a un techo en el que proyectaba imágenes recientes.

No pensó en el señor Farrell, ni en Australia, ni en nada que no fuera el presente. Tampoco recordó las palabras de Blake cuando había dicho que algún día pensaba marcharse, sino que se limitó a sonreír o a humedecerse los labios mientras con las manos estiradas agarraba la frazada.

Ya se enfrentaría a las consecuencias de lo sucedido en otro momento, ahora sólo le apetecía deleitarse en el recuerdo reciente.

XXIV

꧁ꕥ꧂

$\mathcal{P}$oco a poco, también aparecieron los miedos.

La felicidad no llegó desnuda, sino que vino vestida con abalorios de inseguridad y temores de antaño. El amor despertaba sonrisas como la que Tess llevaba puesta, pero también lágrimas, como las que habían manado de los ojos de su madre ante las repetidas traiciones de su padre.

Blake era un hombre que despertaba admiración y lascivia en las mujeres y Tess por fin reconoció que tenía celos cuando otras lo miraban. Sin embargo, el sabor de sus besos era reciente y poderoso y las dudas, aunque continuaron revoloteando a su alrededor, no podían competir con la fuerza de la felicidad.

Se sentía contenta y, cuando antes de almorzar, se cruzó con él y vio que le dedicaba una sonrisa furtiva, las últimas dudas quedaron totalmente despejadas.

La señora Young la notó ausente y risueña y cuando vio que apenas comía, le preguntó:

—¿El señor Farrell ha vuelto a escribir?

Tess salió de su abstracción y dijo:

—Es domingo. Hoy no llega el correo.

—Entonces, sólo puedo pensar que ha estado releyendo su correspondencia.

—¿Por qué dice eso?

—Tiene todos los síntomas del enamoramiento. Pensé que había escogido al señor Farrell de un modo racional, pero me alegro de que le genere ese entusiasmo. Espero que, una vez que lo conozca, su ilusión no decaiga.

Tess sonrió de forma apurada, pero no contestó.

—Un matrimonio sin amor es muy triste —insistió la señora Young.

—Pero da tranquilidad.

—No todos los hombres son como su padre, señorita Gardner. Su madre tuvo mala suerte. Estaba muy enamorada y él no sabía comportarse, pero la quería.

—¿La quería? —se burló Tess, arqueando las cejas de ese modo tan peculiar con el que solía hacerlo.

—Sí, la quería… A su manera, claro. Pero cuando la señora Gardner se marchó, su padre sufrió mucho.

—¿Y no lo consoló la señorita Price?

—A la señorita Price la enviaron a Italia y la casaron con alguien bien posicionado allí. No podía volver a Inglaterra o, al menos, a Horston. Su honor estaba mancillado. Finalmente, todos los Price acabaron marchándose, excepto una tía de la joven. Una tacha como esa no puede borrarse de un apellido.

—Tampoco las que mi padre le hizo a mi madre.

—Eso es distinto. Muchas mujeres aguantan, incluso cuando es algo público. En Londres, donde hay edificios en los que viven distintas familias, ha habido casos en los que el marido ha puesto un piso a sus amantes en su propia escalera.

—Yo no lo aguantaría. Aunque no fuera algo de dominio público.

La señora Young pensó que Tess se refería al señor Farrell y enseguida añadió:

—Si alguna vez ocurre eso, no haga tonterías. Regrese inmediatamente aquí. Sabe que entre todos la cuidaremos.

Tess sonrió agradecida.

—¿Sabe si en Australia hay teléfonos? —preguntó de nuevo la señora Young.

—No tengo ni idea, ¿por qué me pregunta eso?

—Su padre piensa instalar uno en el hotel. Así podría comunicarnos con usted por conferencia de vez en cuando.

—Le prometo que le escribiré. Eso ya tiene que darlo por hecho —comentó Tess procurando zanjar la conversación sobre el señor Farrell—. Por cierto, aparte del teléfono, el póquer, el tenis y el elevador, ¿el señor Blake ha metido alguna otra idea en la cabeza de mi padre?

—No lo sé. Usted misma dijo que la cueva no le interesó. Pero lo cierto es que su padre se deja influir mucho por ese hombre.

—¿Qué opina usted de él?

—¿Del señor Blake? ¿Por qué le interesa mi opinión? —preguntó la señora Young suspicaz.

—Por curiosidad, no tengo ningún interés especial.

—Y espero que no lo tenga. Desde el primer momento, he pensado que ese hombre traerá problemas.

—¿Qué tipo de problemas?

—Siempre me ha parecido muy ambicioso. Y, ayer, el señor Palmer le contó algo a su padre sobre su pasado. No lo entendí bien, pero tenía que ver con un juicio por asesinato del que salió absuelto por falta de pruebas.

Tess se asombró ante el comentario.

—¿Hubo un juicio? Sé que era el responsable de unas obras y hubo un accidente en el que murieron dos hombres, pero ¿llegó a ser juzgado por ello?

—¿Accidente? Yo entendí que había sido un sabotaje. No pude oír todo lo que el señor Gardner le contaba a mi marido, pero eso sí que lo escuché. Mencionó la palabra sabotaje, estoy segura.

—Pero... ha dicho que salió absuelto, ¿no?

—No había pruebas que lo incriminaran directamente a él. Pero si, como usted dice, era el responsable...

Tess notó que la incertidumbre la dañaba.

—¿No lo entendería usted mal? Si fuera como dice, mi padre no confiaría tanto en él.

—¿En serio lo cree? —comentó enfadada— ¡Ese hombre tiene hechizado a su padre! Le está dando lo que él quiere: le consigue dinero y alimenta sus ansias de hacer prosperar el hotel,

¿no le parece mucha casualidad? Llegó como mozo y ahora es su asesor. Y, le recuerdo, señorita Gardner, que consiguió el trabajo gracias a haberla secuestrado a usted. ¿Todavía cree que ese hombre tiene escrúpulos?

—Pero usted lo está acusando de asesinato…

—Y usted lo está defendiendo. ¡Me sorprende! ¡Pensé que tampoco le agradaba! –le recriminó la señora Young, que recordaba que el señor Gardner quería usar a Blake para retener a su hija en Inglaterra.

Tess calmó la pasión de su defensa y, procurando parecer indiferente, añadió:

—Sólo estoy tratando de ser justa. Si el magistrado creyó que no había motivos para condenarlo, no sé por qué usted insiste en hacerlo.

—Yo no lo acuso de asesino, eso es algo que no sé. Lo único que digo es que ese hombre es capaz de hacer cualquier cosa por ambición: cualquier cosa, incluso abaratar los costes de seguridad en una obra. Estoy convencida de ello –recalcó con mirada amonestadora.

Tess se levantó dejando más de la mitad del plato lleno.

—Estaba exquisito, señora Young, soy yo la que no tengo hambre –se justificó al ver la mirada interrogante de la cocinera.

—Insisto en que está usted rara. Y espero que eso no le afecte a la hora de ser lúcida –añadió la señora Young mientras Tess ya se iba.

Salió molesta de la zona de servicio porque sabía que no había disimulado su contrariedad ante las palabras de la señora Young. Subió a su habitación con intención de descansar y se reclinó en un sillón cerca de la chimenea.

Le incomodaba que Blake no le hubiera mencionado que había habido un juicio, aunque su corazón descartó inmediatamente que él hubiera participado en algún tipo de sabotaje. Blake había dicho que fue un accidente y ella lo creía. En esos momentos, sus emociones y el júbilo que aún prevalecía en su cuerpo solapaban cualquier objeción. Sólo sentía ansias de volver a verlo, de volver a perderse en él y olvidarse del mundo a través de la pasión.

Ansiosa, pronto abandonó la idea de continuar en la habitación y bajó al vestíbulo a ver si lo encontraba, pero justo cuando ella bajaba, Blake y su padre salían del hotel y se disponían a subir a un carruaje.

No le quedó más remedio que regresar a sus estancias, pues no le apetecía que la conversación con algún huésped interrumpiera los anhelos de su imaginación. Al principio, cogió un libro para decirse a ella misma que estaba leyendo, pero las hojas pasaban frente a sí y no era consciente de lo que decían. Al cabo de un rato, se planteó la posibilidad de buscar al señor Young y preguntarle sobre el juicio de Blake, pero supo que eso levantaría suspicacias sobre su interés y, a su pesar, no lo hizo.

A lo largo de la tarde intentó centrarse, no era propio de ella ese estado de ensueño y sentía que no era dueña de sí misma. Su espíritu inquieto siempre había ido de la mano de la reflexión y la sensatez, pero ahora parecía una niña encaprichada. Y el tiempo le pasaba lento y su inquietud crecía.

A la hora de cenar, su padre aún no había regresado, así que decidió no ir al comedor principal. Pero como tampoco le apetecía hablar con la señora Young, acabó pidiendo que le subieran la cena a su habitación.

Sobre la medianoche, incapaz de conciliar el sueño, bajó a por una infusión y, cuando regresó a su habitación, su corazón comenzó a palpitar velozmente al ver que alguien había dejado una nota debajo de su puerta. No sabía si había sido en aquellos momentos o ese papel ya llevaba rato allí y se precipitó a recogerla y a buscar buena luz para leerla.

> Tess, no podemos dejar las cosas así. No sé si lo ocurrido entre ambos ha supuesto para usted lo mismo que para mí, pero yo necesito verla y expresarle mis sentimientos...

La leyó más de diez veces sin dejar de sonreír en cada ocasión. Blake la citaba al día siguiente en el viejo alcornoque sobre las cinco de la tarde y Tess no podía dejar de sentirse la elegida entre todas las mujeres del mundo. La sonrisa traviesa volvió a brillar en ella.

Deseó que no nevara, que no lloviera, que ningún obstáculo apareciera para impedirle acudir a aquella cita. Con estas ilusiones renovadas, es de suponer que la infusión no logró ningún efecto y Tess se durmió tarde regocijándose en sus propios pensamientos.

Cuando al amanecer la luz se filtró entre las cortinas, agradeció ver que el cielo aparecía despejado y no había nubes amenazantes por ningún lugar.

Acudió a desayunar en un momento en el que sabía que la señora Young estaba muy ocupada y evitó cruzar con ella más que un par de saludos cordiales. Temía que notara en su rostro las sensaciones que la apresaban.

Luego, impaciente por que llegara la tarde, decidió ir hasta el pueblo a comprar un abrigo que hacía tiempo le había enamorado en el escaparate de Delaney & Whittemore. Si no se había decidido a comprárselo hasta ahora, era porque pensaba que podía necesitar ese dinero para llegar hasta Australia. Sin embargo, ahora era como si ese asunto ya no existiera.

Antes de salir, se encontró a la señora Palmer acompañada del doctor Barrymore y se detuvo a preguntar si ocurría algo. La mujer, que no lograba disimular su preocupación, le dijo:

—La pequeña tiene la frente muy caliente.

—Espero que no sea nada grave –añadió Tess, tratando de mostrarse conmovida.

—Yo también –comentó intranquila–. Hoy no saldremos del hotel.

Tess le deseó la mejor de las suertes y luego se despidió.

Por el camino, le resultó inevitable pensar en Maud. Su amiga se había comprometido a encargarse de los billetes y estaba a la espera de un telegrama de Tess para que le indicara la fecha en que deseaba embarcar. También recordó que debía pasar por la iglesia a pedir al señor Odell su partida de nacimiento, pero lo cierto es que esos pensamientos sólo lograron turbarla y decidió suspenderlos hasta después de su cita con Blake. Ahora, no estaba tan convencida de que su futuro se hallara en Australia.

Antes de llegar a la tienda ya sabía que no estaba actuando de forma correcta. Había criticado a las otras mujeres por desear lo que ella estaba viviendo y, sin embargo, no se censuraba a sí misma. Su educación no le consentía ese tipo de licencias, como si fuera otro tipo de mujer la que anidara en su cuerpo, pero lejos de sentir remordimientos, se notaba liberada.

Por primera vez, se preguntó qué habría pensado Blake de ella y se avergonzó de su comportamiento. Pero fueron unos instantes pasajeros, pues el recuerdo de la nota que había encontrado debajo de su habitación, le reafirmaba el interés por parte de él. Era de suponer que no se arriesgaría a una aventura con la hija de su jefe.

Cuando entró en la tienda de la señora Delaney, la señora Dobbin enseguida se dirigió a atenderla. Tess agradeció en silencio que la señora Whittemore no estuviera allí en aquellos momentos y, luego, comentó que le gustaría probarse el abrigo del escaparate.

La señora Dobbin sonrió y, enseguida, fue a buscar la prenda.

—¿En Australia hace mucho frío? —le preguntó.

—Más o menos como aquí. Según la estación —comentó Tess, poco interesada en entablar conversación.

—Pero ahora debe de hacer calor. Tengo entendido que las estaciones van al revés. ¿No le gustaría que le tomara las medidas y le confeccionara algún vestido de verano?

—No, gracias. Con los que tengo, me bastará —respondió a la vez que se fijaba en unas bufandas que estaban sobre un expositor.

La señora Dobbin le trajo el abrigo y Tess se quitó el que llevaba para poder probarse el nuevo.

—Es posible que, antes de que se marche, haya noticias. De lo contrario, le escribiremos para mantenerla informada —dijo la hija de la señora Delaney.

Tess temió que empezara a contagiarse del afán a los cotilleos de la señorita Whittemore y, sin apenas afecto, mientras se sentía satisfecha por cómo le quedaba el abrigo, comentó:

—Estoy segura de que lo harán.

Luego, se quitó el abrigo y le pidió que se lo envolviera. Mientras la señora Dobbin lo hacía, comentó:

—La señorita Larraby es una afortunada.

—¿La señorita Larraby? ¿Qué le ocurre?

—¡Oh! ¿No lo sabe? —dijo la señora Dobbin enfatizando la interrogación.

—¿Qué debería saber? —preguntó Tess, mientras sacaba dinero para pagar.

—La señorita Whittemore la vio el sábado por la tarde paseando con el señor Blake por Seedon Park.

Tess sintió un estremecimiento, aunque procuró disimular el efecto que le causó aquella noticia.

—¿Olympia Larraby?

—La misma. Y no llevaban carabina —añadió como si se tratara de un triunfo—. Dicen que su padre lo ha ascendido y que ahora tiene un buen puesto, ¿es eso cierto?

Pero Tess no respondió porque sus pensamientos la habían llevado a otro lado.

XXV

ᘒ᙭᙭ᘓ

Gardner se preocupó cuando Blake le contó el motivo por el que lo había requerido el señor Larraby.

—¿Y qué interés puede tener él en ese armatoste? —le preguntó, al tiempo que miraba una y otra vez el dibujo que le había entregado Blake.

—Tiene acciones en una empresa de siderurgia, supongo que el interés es más económico que artístico.

—¿Por qué iba a ser artístico? —Protestó Gardner—. Más parece una chimenea que una torre. No sé por qué los franceses han aceptado que ese *Monsieur* Eiffel lo lleve a cabo. Tengo entendido que también la ofreció para la Exposición Universal de Barcelona y los españoles la rechazaron. No confío en el criterio de los españoles, pero, en este caso, les doy la razón. Es mejor una estatua de Colón anodina que una chimenea —afirmó convencido—. ¿En serio van a plantar eso en mitad de París?

Blake lo miró, extrañado de que no lo supiera, y le dijo:

—Ya lo están haciendo: empezó a construirse el año pasado.

—¡Más les valdría otra Libertad como la que regalaron a los americanos! Estoy convencido de que, en dos años, habrán derribado esa torre. Seguro que no es buena para la vista.

Blake sonrió. Sabía que Gardner no era el único que pensaba así. Muchos escritores y artistas franceses se habían movilizado contra la construcción de aquella torre, pero la Modernidad seguía su curso a pesar de las protestas.

—Y, exactamente, ¿qué quería el señor Larraby de usted? —insistió el señor Gardner, que continuaba inquieto.

—Creo que sólo quería conocer mi punto de vista sobre las posibilidades del hierro en la construcción. Sobre todo, combinado con carbono, es decir, convertido en acero. ¿Ha oído hablar del Home Insurance Building?

—No —reconoció el señor Gardner.

—Es un edificio de ciento treinta y ocho pies que levantaron en Chicago hace tres años.

—¿Un edificio de ciento treinta y ocho pies? —Y, a continuación de la pregunta, Gardner emitió un silbido de exclamación.

—Es el futuro. Pesa una tercera parte de lo que pesaría si estuviera construido en piedra. La estructura es de acero y las paredes, de hormigón. La fachada está prácticamente acristalada y tiene diez pisos.

—Los americanos son muy excéntricos. No creo que en Europa jamás se edifique algo tan alto. ¡Y menos, en Inglaterra! —se burló—. Espero que el señor Larraby no esté pensando en construir algo así en Horston.

Blake lo contempló de modo sardónico y añadió:

—Debe reconocer que, si lo hiciera, eso sí que atraería a muchos curiosos. Sería bueno para su hotel.

El señor Gardner dudó un momento.

—Entonces, ¿eso es lo que pretende Larraby?

—No, no tiene esa intención. Ya le he dicho que lo único que quería era conocer mi opinión. Ya hay demasiadas redes de ferrocarril, ahora la siderurgia ha de buscar nuevas vías de expansión —comentó Blake—. También hablamos de los automóviles del señor Benz.

—¿Esos que funcionan con éter o gasolina? ¡Tampoco apueste por ellos! —exclamó con cierto aire de desprecio—. Esos no pueden hacer distancias largas.

—La esposa del señor Benz ha viajado con uno desde Mannheim hasta Pforzheim —le contó Blake.

—¿Una mujer conduciendo? ¡Eso sí que es extravagante! —protestó—. Estoy convencido de que el señor Larraby no permitiría que su esposa o hijas manejaran uno. No sé a qué se debe su interés.

—Probablemente, no. Pero el señor Larraby tiene dinero y desea multiplicarlo. Está tratando de averiguar dónde le resulta más rentable invertirlo.

—Me tranquiliza saber que no quería nada más de usted. Por un momento, pensé que quería contratarlo.

—No me propuse nada al respecto, pero estoy abierto a recibir ofertas —comentó Blake mientras lo retaba con la mirada.

Gardner pareció ofenderse por un momento, pero enseguida se relajó.

—Sí, desde el primer momento he sabido que no es usted un tipo conformista. —Hizo una pausa y, luego, añadió—: Blake, si quiere prosperar, le recomiendo que se lleve bien con mi hija.

El aludido lo contempló de modo suspicaz e interrogante. Ignoraba qué había querido decir con eso y permitió que prosiguiera:

—En el fondo, creo que Tess no quiere marcharse. Es una chica inteligente y debe saber que esa idea del matrimonio con el australiano es una tontería. Si usted no le resulta desagradable, es más probable que se quede. ¿Hará un esfuerzo?

—¿Qué me está pidiendo exactamente, Gardner? —le preguntó Blake, aún más receloso de sus nuevas palabras.

—Nada que no esté en su mano. Sólo sea amable con ella. Dígale que es bonita y esas cosas que les gusta escuchar a las mujeres. No quiero que tenga ningún motivo para aborrecer su vida en el hotel.

Blake no aflojó su mirada censora y Gardner no se atrevió a decir nada más por el momento. No quería estropear sus intenciones por una negativa de Blake. Ya encontraría un nuevo modo de juntarlos sin que él se diera cuenta. O bien, esperaría a encontrarlo más receptivo. Tal vez, si las siguientes partidas de póquer no se le daban bien…

—En fin, vaya a la oficina de Correos y envíe esos telegramas a los periódicos —le dijo finalmente—. Si las pistas de tenis están listas para después de Navidad, debemos empezar ya a promocionarlas.

Blake hizo un saludo silencioso y salió del despacho. Luego, se dirigió a Horston.

Gardner también salió y se acercó a la recepción, donde se encontraba el señor Young.

—¿Ha visto a mi hija?

—Acaba de regresar del pueblo. Ha subido a su habitación hace unos minutos.

Efectivamente, Tess se encontraba en su habitación maldiciendo el dinero que había invertido en su abrigo nuevo. Había esperado estrenarlo aquella tarde, pero ahora sabía que no lo haría. Ni siquiera pensaba acudir a la cita con Blake. Había tenido intención de pasar por la herrería del señor Wayne tras comprar su abrigo, pero la noticia que le había dado la señora Dobbin la dejó sin ganas de nada más que no fuera tumbarse en su cama y llorar desconsolada.

Las suspicacias que antes había obviado se le aparecían ahora con fuerza renovada. En estos momentos y, a sus ojos, Blake no sólo era un hombre libertino y atrapado en el juego, sino que, además, era culpable de la muerte de dos hombres. La señora Young había asegurado que el presunto accidente era en realidad un sabotaje y que Blake había sido absuelto en el juicio por falta de pruebas. Eso no era una declaración de inocencia y algún motivo debía existir para que Blake evitara al señor Palmer.

Cierto que el señor Palmer había hablado con su padre sobre aquel asunto y, aun así, este había continuado confiando en Blake. Pero el criterio de su padre a la hora de hacer amistades no era moral, sino interesado, y a Tess no le producía ninguna tranquilidad. Claro que en eso sólo reparaba ahora, que estaba rabiosa por otros motivos.

Mientras pensaba todo esto, en su cabeza aparecían imágenes de Blake junto a Olympia Larraby, la hermosa Olympia Larraby, que la hacían sentir tan humillada como debió de sentirse su madre ante las infidelidades de su marido. Aunque le dolía, daba por sentado que Blake también había besado a Olympia tras alguno de los árboles de Seedon Park y probablemente más de una vez. Y, al día siguiente, la había besado a ella, eso no se lo perdonaba.

Estaba furiosa consigo misma por su debilidad; con Olympia, por su conducta licenciosa y con Blake, por su libertinaje. Se sentía como un juguete roto y odiaba el abrigo que había comprado para agradarle. Pensó que había sido un gasto inútil, que necesitaría ese dinero para su viaje a Australia y que había sido una tonta al dejarse embriagar por unos ojos verdes en el rostro de un crápula.

Buscó, como para protegerse de su influjo, la fotografía del señor Farrell y procuró que despertara en ella algún tipo de ilusión, pero lo único que lograba ver en esa imagen era la sonrisa sarcástica de Olympia burlándose de ella mientras, al fondo, Blake la miraba complaciente por su victoria.

Y, tras odiarse a ella misma, y a Olympia, fue comprendiendo que el verdadero culpable de su ultraje no era otro que Blake. Y, por qué no, también su padre.

No echó de menos a Maud, sino a su abuela. En aquellos momentos, hubiera deseado poder refugiarse en el abrazo de aquella mujer que había dejado este mundo diez años atrás y que siempre le aconsejaba que no confiara en los hombres. «Son todos iguales», «como animales que se dejan llevar por el instinto más primario, incapaces de pensar en las consecuencias y el daño que hacen. Tu madre murió por eso, Tess, nunca lo olvides. Nunca entregues tu corazón». Al sentir que su mente reproducía aquellas palabras, supo que no había aprendido nada. Finalmente, había sucumbido como las otras, como su madre.

Aunque lo intentaba, no podía detener las lágrimas que recorrían su rostro. Ahora comprendía mejor que nunca el dolor de su madre, que se confundía con el suyo propio, y decidió que eso era algo que no le volvería a ocurrir. El señor Farrell no despertaba ninguna emoción en ella, era poco atractivo para las mujeres y vivía apartado de la sociedad. Con él, la seguridad de que no estaría expuesta a este tipo de sufrimiento estaba garantizada.

Nada iba a evitar que pospusiera más su marcha. Si lograba tenerlo todo arreglado para antes de Navidad, se olvidaría de pasar aquellos últimos días junto a su padre. Y esta vez, nada podría evitarlo.

Después de almorzar, estaba decidida a regresar a Horston para hablar con el señor Odell y el señor Bloomfield y solucionar de una vez los trámites de su futuro matrimonio. Probablemente, a la hora en que estaba citada con Blake, ella aún no habría regresado. Esperaba mantener la templanza si se lo encontraba, porque de lo que no tenía en absoluto ganas era de montar una escena de celos.

Celos. Por primera vez apareció esa palabra ante ella. Y no le gustó tomar conciencia de unas emociones que juzgaba débiles e inútiles. Pero al menos tuvo la suficiente dignidad para asumirlo. También supo que, si no acudía a la cita, Blake sabría cuánto le había influido su traición y a eso sí que no estaba dispuesta. ¿Qué hacer?

De la tristeza volvió a pasar a la rabia. Y la decisión de ir a Horston aquella tarde se convirtió en una nueva propuesta. Blake no iba a salir inmune de su doble juego. Tess estaba dispuesta a hacérselo pagar y no se le ocurrió otra idea que la de enfrentarlo a su propio miedo: el señor Palmer.

Sabía que aquel día los Palmer no habían salido del hotel por la fiebre de una de sus hijas, así que se propuso pensar en algún plan para que Blake y él se encontraran. Pero ¿cómo atraer al señor Palmer hasta el alcornoque? ¿Con qué pretexto?

Pasó un rato dando vueltas al asunto hasta que comprendió que nada resultaba lo suficientemente creíble como para hacer llegar al señor Palmer hasta allí. Así que entendió que tenía que ser al revés. Era Blake quien tenía que llegar hasta el señor Palmer. Debía ingeniar algo para que fuera así. Pero ¿qué?

XXVI

꩜

—Veo que hoy tampoco tiene apetito –le comentó la señora Young, mientras Tess mantenía un trozo de carne enganchado a su tenedor, pero miraba a otro lado, como si no tuviese intención de llevárselo a la boca.

Tess la observó suplicando que no volviera con uno de sus discursos y, para evitarlo, procuró cambiar de tema.

—¿Sabe si el doctor Barrymore sigue aquí?

—No, ya no está aquí. Se fue hace más de una hora. ¿Se encuentra mal? La noto alicaída y tiene los ojos enrojecidos –le comentó al tiempo que la observaba mejor y comenzaba a preocuparse–. Tiene toda la pinta de estar incubando un resfriado.

—Estoy algo destemplada –mintió–, pero no es nada que no se me pase con una buena siesta.

—No debería haber ido al pueblo esta mañana –la regañó al tiempo que giraba la cabeza de un lado a otro para enfatizar su objeción–. Un resfriado pide reposo.

—No tengo estornudos –respondió Tess, buscando no continuar con el tema, pues en realidad sus males eran muy distintos y no le apetecía contarlos.

La señora Young notó que Tess no tenía ganas de hablar y se dedicó a batir unos huevos alejada de ella para dejarla tranquila.

Pero cuando, al poco rato, vio que dejaba casi todo en el plato, volvió a acercarse a ella.

—¿Quiere que le caliente leche?

—No, gracias –dijo mientras se levantaba.

—¿Quiere que le diga a Sam que vaya a Horston a por el doctor Barrymore?

—Le da demasiada importancia a algo que no es nada. Gracias, señora Young –respondió Tess, al tiempo que la besaba en la mejilla con una sonrisa complaciente para tranquilizarla.

—Su padre estaría encantado de que usted enfermara y así poder retenerla aquí. Debería cuidarse aunque sólo sea para no darle el gusto.

Tess arqueó las cejas.

—Ahora creo que exagera. Mi padre no es tan sibilino. De hecho, creo que ha empezado a asumir mi marcha. No ha vuelto a invitar al señor Courtenay y, después de su intento fallido con el señor Harding, no ha vuelto a molestarme con la idea de otro pretendiente.

—¿No? Pues yo creo que debería andarse con cuidado. Yo conozco al señor Gardner y está más intranquilo de lo que usted piensa. –Y, aunque tenía intención de callarse esa información para evitarse problemas con el dueño del hotel, finalmente añadió–: Lo que dijo el otro día no me gustó nada.

—¿Qué dijo? –se preocupó Tess.

La señora Young la miró con cierta compasión antes de responder.

—Que estaba dispuesto a comprarle un marido.

—¿Qué quiere decir con comprar?

—¡Pues lo que ha oído usted! Que ya no aspira a casarla con alguien adinerado. Con tal de evitar que usted se marche, preferiría verla casada con alguien de aquí aunque no tuviera posibles.

—¿Y piensa que yo accedería? Si eso es lo que le preocupa, vaya sin cuidado, señora Young. Afortunadamente, soy mayor de edad y mi padre no puede obligarme a casarme si yo me niego.

—Sí, lo sé. Pero me preocupó oírla defender al señor Blake.

—¿Qué tiene que ver Blake en esto? –se alarmó Tess.

—No sé qué le ha hecho ese hombre a su padre, pero lo tiene subyugado. Y no puede negar usted que es un hombre atractivo.

Creo que el señor Gardner está dispuesto a pagarle para que la corteje.

Tess se indignó al oír eso y temió haber sido presa de una trampa.

—Pero ¿está usted segura de eso?

La señora Young la miró como si reprobara su ingenuidad.

—¿Por qué cree que le pidió que lo acompañara a la Cueva del Manco? ¿No le pagó para que fingiera su secuestro? Su padre es capaz de cualquier cosa, señorita Gardner. Y ese hombre...

—¡Ese hombre también! —exclamó enfurecida.

Al notar su dolor, la señora Young cambió su expresión.

—¿Acaso usted...?

La señora Young no acabó la frase porque vio que los ojos de Tess se humedecían. Dejó el trapo con el que estaba secándose las manos y se dirigió hacia ella. La agarró de un brazo y la llevó hasta una pequeña bodega en la que tenían más intimidad, porque sabía que ella se negaría a admitir según qué si podía oírlas alguien más.

En cuanto la señora Young cerró la puerta, Tess la abrazó y comenzó a llorar desconsoladamente. La encargada de cocina le devolvió el abrazo y le acarició el pelo durante unos minutos, hasta que Tess se apartó y dijo:

—¿Tiene un pañuelo?

La señora Young sacó uno de su bolsillo y se lo ofreció al tiempo que la miraba de forma condescendiente.

—Se ha enamorado, ¿verdad? —le preguntó.

Tess cerró los ojos como si confesara una falta.

—¡He sido una estúpida, señora Young! Pero le juro que no volverá a ocurrir. Le prometo que esta es la última vez que me ve llorar por un hombre —juró con la determinación y el dolor brillando en sus ojos—. No, le aseguro que no voy a repetir la historia de mi madre.

Ahora fue la señora Young la que bajó la mirada.

—Su padre consigue destruir a las personas que quiere. Es como si estuviera maldito.

—No. La culpa esta vez no es de mi padre. Es mía y sólo mía. Yo sabía que no debía enamorarme. Y, menos, de un tipo por el que todas suspiran. Un tipo sin escrúpulos, capaz de jugar con los sentimientos ajenos y tal vez, incluso, de matar a alguien.

—Es la primera vez que me alegro de que se vaya a Australia. Porque… ¿no le habrá contado nada al señor Farrell?

—No, no, el señor Farrell no sabe nada —afirmó Tess—. Me he portado muy mal con él, no lo merezco.

—No diga usted eso —comentó apenada la cocinera—. Cualquiera que esté cerca de usted debe sentirse agradecido.

—No. Se equivoca, señora Young. El señor Blake no va a sentirse agradecido —dijo con rabia—. Le aseguro que le voy a hacer pagar lo que me ha hecho.

—¿No habrá hecho nada irremediable? —Se preocupó la señora Young.

—¡No! ¡Claro que no! —negó Tess ofendida, aunque, luego, reconoció que ni ella misma podía asegurar que no se hubiera entregado si él hubiese querido. Desde que conocía a Blake, había descubierto unas sensaciones indómitas en su cuerpo y nada garantizaba que no se hubiese dejado llevar por el arrebato ancestral de la pasión. Al recordarlo, Tess se avergonzó de sí misma.

—Entonces, no tema —la consoló la mujer—. Márchese a Australia y abandone de una vez la influencia de su padre.

—Señora Young, por favor, necesito su ayuda —suplicó al tiempo que le devolvía el pañuelo.

—No me diga que aún no ha empezado los trámites…

—No se trata de eso. Me refiero a Blake. Aunque es cierto que he descuidado el papeleo para la boda por poderes con el señor Farrell.

—Olvídese de Blake —comentó la mujer, apenada porque veía sufrir a la joven—. Y céntrese en su futuro.

—No. No voy a dejar impune su cobardía. Blake me ha citado esta tarde en el bosque, aunque, evidentemente, no voy a acudir —le contó—. Pero no quiero que Blake piense que he descubierto su engaño, ni que estoy celosa de sus paseos con la señorita Larraby.

—¿También corteja a la señorita Larraby?

Tess asintió con la cabeza y la señora Young comentó:

—Ya sabía yo que este hombre no iba a traer nada bueno. En este lugar hay demasiada gallina para un solo gallo.

—Por favor… –suplicó Tess, que se sintió aludida en ese comentario.

—No tiene por qué avergonzarse de sus sentimientos ni de ser humana.

—¡Pues lo hago! No quiero igualarme a las demás gallinas. ¡Olympia es una descarada!

Dicho esto, volvió a llorar.

—Usted no se parece a ellas, de eso puede estar segura. Pero es una mujer, señorita Gardner, y las mujeres tenemos sentimientos. ¡No como ellos! –exclamó la señora Young–. Y no me quejo de mi marido, no. No es eso. Pete es un buen hombre y nunca me ha faltado, pero no son como nosotras.

—Le aseguro que no volveré a tropezar con la misma piedra. Mi corazón no volverá a ablandarse por ningún hombre –dijo con solemnidad, como si se tratara de un juramento–. Y, ahora, escúcheme. Quiero que usted se encargue de que el señor Palmer vaya al despacho de Blake sobre las cuatro y media de la tarde.

—¿Cómo quiere que consiga eso?

—No lo sé. Dígale cualquier cosa. Por ejemplo, que el doctor Barrymore está allí y quiere hablar con él –se le ocurrió.

—Eso no tiene mucho sentido –negó la señora Young–. Si el doctor Barrymore regresara, antes de hablar con él, querría volver a ver a la niña. Además, ¿qué pretende lograr con eso?

—Pues invente otra cosa. Lo que quiera, pero el señor Palmer tiene que bajar al despacho de Blake a las cuatro y media. Él suele estar allí cuando está en el hotel y, aunque salga antes, deberá regresar para su cita conmigo –le explicó Tess.

—Aún no me ha dicho para qué quiere que haga eso –le recordó la encargada de cocina, que no estaba muy convencida de que la joven actuara bien.

—¡Desenmascararlo, por supuesto!

—El señor Palmer ya habló con su padre y este hizo caso omiso a sus palabras. ¿En qué debería importarle a Blake que lo desenmascaren dos veces?

—Porque me mintió, señora Young. Me hizo creer que había sido un accidente y usted misma oyó que se trataba de un sabotaje. Porque necesito un pretexto para mandarlo a paseo sin reconocer que sé que me ha estado usando. ¡Ya me siento bastante humillada!

—¡Ah! ¡Entonces, se trata de orgullo! —comprendió la señora Young.

—¡Llámelo como quiera! Pero consiga que el señor Palmer acuda al despacho de Blake a esa hora —al tiempo que se frotaba las lágrimas con un pañuelo y lo ocultaba luego en su bolsillo, como si así también pudiera esconder su sufrimiento.

—Está bien, está bien —accedió la señora Young—. Si va a sentirse mejor, le diré que el doctor Barrymore está allí. Ya verá cómo se las apaña usted para no dejarme en mal lugar.

—Gracias —dijo Tess—, le aseguro que algo inventaré —comentó al tiempo que se disponía a salir de la bodega.

—Señorita Gardner —la llamó la señora Young antes de que se marchara—, si siente ganas de llorar, hágalo. A veces necesitamos...

—No —la interrumpió Tess—. Le aseguro que no volveré a llorar.

Después de abandonar la zona de servicio, Tess regresó a su habitación y enseguida faltó a su palabra. Las lágrimas volvieron a brotar sobre sus mejillas y se maldijo nuevamente por ello. Permaneció tumbada en la cama durante media hora mojando el almohadón. Finalmente, se quedó dormida, pero el sueño sólo fue un bálsamo transitorio. Cuando se despertó, estuvo tentada de volver a llorar, pero esta vez no lo hizo.

La rabia fue ganando terreno frente a la tristeza y Tess dedicó la siguiente hora a tratar de que ni su rostro ni sus ojos delataran que había estado llorando. Después se bañó y se puso el vestido que más le favorecía de los que tenía de diario. También estuvo probando distintos tipos de recogido en su cabello hasta que quedó satisfecha de su propia imagen.

Miró el reloj y vio que aún eran las cuatro y, para evitar sentirse nuevamente compungida, durante la media hora que quedaba, cogió papel y un estilógrafo y comenzó a apuntar todo lo que tenía pendiente para su viaje a Australia. Por supuesto, la concentración no la acompañó y cualquiera que hubiera leído la lista hubiese pensado que se trataba de un ajuar muy incompleto.

Luego, buscó una bolsa de agua caliente que guardaba en un cajón y a las cuatro y veinticinco salió de su habitación.

Antes de entrar en el despacho de Blake, llamó a la puerta y esperó a ser invitada. Cuando Blake abrió, se sorprendió al verla y arqueó las cejas como si la interrogara por su presencia allí.

Tess entró decidida y comentó:

—Estoy algo resfriada. No creo que me convenga salir al bosque. Quería avisarlo.

Blake miró la bolsa de agua y preguntó con evidente preocupación:

—¿Tiene fiebre?

—No.

—¿La ha visto un médico?

—No. La señora Young me está preparando una infusión —contestó nerviosa y mirando hacia la puerta, mientras Blake dudaba entre cerrarla o dejarla abierta. Finalmente, la dejó tal cual.

—Tess —dijo él con dulzura—, deberíamos encontrar un momento para hablar. No creo que este sea el lugar adecuado, ni tampoco su estado, pero yo siento la urgencia y la necesidad de decirle tantas cosas…

—No sé si serán necesarias, pero permítame que dude de su urgencia —respondió casi de forma abrupta.

Blake, que avanzaba hacia ella, se detuvo ante esa severidad. En aquel momento, el señor Palmer se asomó a la puerta y, al ver a Tess, comentó:

—Disculpen, me han dicho que el doctor Barrymore estaba aquí y quería verme.

XXVII

ꙮ

$\mathcal{T}$ess no pudo observar la reacción de Blake porque no se atrevió a mirarlo. Aunque esperaba al señor Palmer, ahora que lo tenía enfrente, se sintió nerviosa y, de forma torpe, le ofreció la bolsa de agua.

—Ha tenido que irse —comentó precipitadamente y sin mucha convicción—, pero ha dejado esto para su hija.

El señor Palmer cogió la bolsa de forma automática, pero su rostro expresó confusión.

—¿Otra bolsa? Ya nos ha dado una esta mañana —comentó extrañado y, de repente, cayó en la cuenta de que Blake también estaba ahí.

—Bueno, a lo mejor ha pensado que con dos le puede ir mejor —dijo Tess casi tartamudeando.

—Buenas tardes, Blake —comentó el señor Palmer al tiempo que le ofrecía la mano.

Blake dudó, pero finalmente tendió la suya para estrechársela. Sin embargo, Blake no lo miraba a él, sino a Tess, y, al observar el nerviosismo de ella, comenzó a pensar que este encuentro no era casual. El rubor de sus mejillas y el hecho de que ella le esquivara la mirada dieron más peso a su sospecha.

—Ahora que nos encontramos en otras circunstancias, espero que podamos llevarnos mejor —comentó el señor Palmer en tono cordial.

—Las circunstancias siguen siendo las mismas —objetó Blake con mordacidad y dedicando una nueva mirada a Tess.

El señor Palmer arqueó las cejas.

—¿No está informado? ¿No le ha contado el señor Gardner la detención de Boseney?

—¿Boseney? —preguntó Blake, intrigado.

Tess también contempló al señor Palmer sorprendida.

—El juicio será en breve, pero esta vez no sólo tenemos pruebas, sino que además hemos conseguido su confesión —dijo el policía. A continuación, dedicó una mirada indulgente a Blake y añadió—: Siento haberme equivocado con usted.

El aludido aún no daba crédito a lo que escuchaba y preguntó:

—¿Qué interés podía tener Boseney en sabotear las obras?

—El sabotaje sólo fue un medio para deshacerse del señor Johnson —le explicó—. Veo que tampoco tenía ni idea de que Boseney y la señora Johnson mantenían una aventura.

Tess escuchaba al señor Palmer tan sorprendida como Blake. Había esperado que lo acusara de los asesinatos, que argumentara su implicación en ellos, pero, en cambio, lo estaba exculpando. Su intención de comprometerlo le estaba saliendo mal. Sin quererlo, pronunció en voz alta.

—¿Entonces, no…?

El señor Palmer no la escuchó, pero Blake, sí.

—Se lo conté al señor Gardner cuando supe que usted estaba aquí —continuó diciendo el comisario—. Temía que, de otro modo, pudiera sospechar de usted, como hice yo durante tantos meses. Y más gente. Sé que estuvo buscando trabajo en Londres y encontró todas las puertas cerradas.

—Gracias —comentó, todavía asombrado Blake y sin terminar de confiar en lo que decía.

—Espero que sepa entender que forma parte de mi trabajo y, nuevamente, le pido disculpas por todos los problemas que le he ocasionado. Si hay algún modo en que pueda repararlo…

—Eso cambia las cosas. Es probable que ahora no me nieguen trabajo —comentó Blake, más para sí mismo que para los demás.

—No, claro que no —asintió Palmer—. Lo busqué para avisarlo, pero usted ya había desaparecido y, por lo visto, no ha estado leyendo periódicos londinenses. La historia salió en varios de ellos. Sobre todo, hicieron hincapié en la relación entre el señor Boseney y la señora Johnson. El tío de ella es parlamentario.

Blake mostró media sonrisa sarcástica mientras Tess continuaba inmóvil apoyada contra la pared. Estaba pálida.

El señor Palmer la observó y luego miró nuevamente la bolsa de agua y le comentó:

—Si el doctor Barrymore regresa, espero que suba a ver a Lily. No entiendo por qué no ha aprovechado el viaje para visitarla. No me parece bien. Podría haber empeorado…

Tess asintió con la cabeza, pero fue incapaz de contestar.

—Me alegro de haber podido darle esta buena noticia, Blake —insistió Palmer y su interlocutor hizo un gesto de agradecimiento.

El comisario de policía se despidió y los dejó solos. Tess, ruborizada, se apresuró hacia la salida ella también, incapaz de permanecer ni un minuto más allí, pero Blake cerró la puerta de un golpe y se colocó ante ella para impedir que saliera. Enseguida, le exigió:

—Y, ahora, ¿va a explicarme lo que pretendía?

Tess lo miró con los ojos muy abiertos, impresionada por la situación, pero no contestó. Aunque había descubierto que Blake era inocente de asesinato, continuaba siendo culpable de aprovecharse de ella a la vez que cortejaba a Olympia. Sabía que había sido injusta con él en un punto, pero lo continuaba odiando por el otro.

—¿O ha pensado que iba a creerme que esto era una casualidad? —la reprendió él con severidad—. Estoy convencido de que el doctor Barrymore ni siquiera ha estado en el hotel.

—Ha venido esta mañana —contestó ella con voz entrecortada e incapaz de mirarlo directamente a los ojos.

—Sí, eso ha dicho el señor Palmer. Y, también, que ya le ha dado una bolsa de agua —comentó mordaz, pero de pronto, su aparente calma se esfumó y, de forma exigente, exclamó—. ¡Deje de tomarme por idiota, Tess!

—Y, usted, apártese y déjeme salir —le exigió ella, mirándolo por primera vez a los ojos.

—No sin antes aclarar este asunto —comentó Blake, mientras se cruzaba de brazos y se apoyaba de espaldas contra la puerta—. Es obvio que usted pensaba que yo era culpable de ese sabotaje. Yo le expliqué que se trataba de un accidente y usted no me creyó. Su desconfianza me duele.

—Nunca he afirmado que confiara en usted —dijo ella enfrentándolo.

—Su conducta, ayer, no parecía estar basada en tantas suspicacias —le recordó y ella se sintió humillada por su referencia al beso.

—En cambio, la suya fue acorde a lo que puede esperarse de alguien sin consideración. ¡De un libertino y de un canalla! —le reprochó.

Blake quedó un instante callado, pero enseguida respondió:

—Había otras maneras más elegantes de demostrarme su arrepentimiento por lo que sucedió. Lo que ha intentado con el señor Palmer no es digno de usted. —El tono de voz delataba su resentimiento.

Tess bajó los ojos un momento como si reconociera su culpa, pero enseguida se acordó de las de él y lo enfrentó con la mirada, aunque no contestó.

—Sin embargo —dijo al tiempo que procuraba reír—, me ha hecho usted un favor. Si pensaba que el señor Palmer me iba a comprometer, lo único que ha conseguido es que me facilite una información que yo desconocía. Mi nombre está limpio, señorita Gardner, aunque a usted le pese.

Ella no se dio por vencida y le recriminó:

—Su nombre está limpio de una acusación, pero estoy segura de que su fama no es la que desearía para sí un caballero.

—¿Tanto le ofendió que la besara? ¿O lo que le molestó fue responder de forma apasionada a ese beso? —comentó descruzando los brazos y acercándose a ella.

Tess retrocedió unos pasos hasta quedar contra la mesa, pero, afortunadamente, él también se detuvo. Sin embargo, su gesto amenazante no cesó.

—Si fuera usted un hombre respetable, no me recordaría mi falta cada vez que tiene ocasión.

—¿Cuál fue su falta, Tess? –le preguntó, ahora más dolido que enfadado– ¿Dejarse llevar por sus sentimientos? ¿Sentirse mujer? ¡Todo eso de lo que usted busca protegerse con un matrimonio sin afecto!

—¡No tiene derecho a hablar de mis asuntos personales! –protestó.

—¡Usted acaba de inmiscuirse en los míos! –le recordó amenazante.

Ella se sintió intimidada ante el reproche que notó en sus ojos verdes y aún quedó más atónita cuando él añadió:

—Me enamoré de usted por la fuerza de su carácter, por no doblegarse a las decisiones de su padre y por el respeto a sí misma que había en esa actitud. Pero me equivoqué, Tess. Usted se deja arrastrar por el miedo…

—¡Yo no tengo miedo! –lo interrumpió para negar lo que decía.

—¡Sí lo tiene! –insistió él, como si estuviera enfadado por ello más que por la encerrona–. Tiene miedo a enamorarse y a sufrir por otra persona como sufrió su madre. Tiene miedo a que algo escape a su control, a verse atrapada en emociones que la dominen y a no poder soportarlo. Sí, tiene miedo, Tess, por eso llena sus sentimientos de desconfianza –la acusó–. Pero ¿qué soledad es más solitaria que la desconfianza? –le preguntó citando a George Eliot.

—¿Se atreve usted a exigir confianza? –le reprochó ella con los ojos humedecidos porque no había podido menos que reconocer la verdad en las palabras de él.

Blake la miró como si lo hubieran golpeado ante la nueva ofensa y, con voz más tranquila, contestó:

—Está visto que usted no es capaz de otorgarla. Está enferma de rencor.

Tess se incorporó y dio por finalizada la conversación ante el descaro de él. Avanzó unos pasos y bordeó a Blake para dirigirse hacia la puerta, pero cuando pasaba a su lado, él la agarró del brazo y la obligó a mirarlo. Ella procuró soltarse un momento, pero Blake la sujetó con firmeza y Tess se sintió incapaz de reaccionar. Permanecieron mirándose unos instantes, en los que ella no dejó de temblar ante las contradicciones que recorrían su cuerpo.

—Su boca la traiciona, Tess, pero no voy a besarla. De nuevo, no voy a besarla, como no la he besado tantas otras veces en que lo he deseado. ¿Y sabe por qué no la besé en esas ocasiones? —preguntó de modo retórico, pues no esperaba respuesta por parte de ella—. Porque siempre ha habido algo que he deseado por encima de sus besos: su respeto —comentó pausadamente—. Pero está claro que usted no puede dármelo.

Él soltó su brazo y Tess, procurando fingir un desaire, continuó su camino hacia la salida. Sin embargo, había una profunda decepción que al principio no supo identificar, pero, cuando agarró el pomo de la puerta, ya había descubierto que se debía al vacío que le provocaba el beso que él acababa de negarle.

Subió a toda prisa hacia su habitación y no volvió a salir en lo que quedaba de día. Ni siquiera pidió que le subieran algo para cenar, pues se sentía incapaz de comer nada. Sus planes para humillar a Blake no habían funcionado, todo lo contrario, él había sabido que ya no quedaba ninguna sospecha sobre su reputación.

Sin embargo, eso no le afectaba tanto como el reconocimiento de su propia fragilidad. «Me enamoré de usted», eran unas palabras que se repetían en su mente como un cuchillo de doble filo y, de la misma manera que al escucharlas en boca de él, ahora también le producían una extraña felicidad que enseguida se diluía ante la evidencia. ¡Qué buen actor! ¡Qué bien interpretaba el papel que le había encargado su padre! ¡Y cuánta crueldad en esa capacidad de convicción!

¿Resultaría igual de persuasivo con Olympia Larraby?

¡Oh! ¡Qué joven más indeseable era Olympia Larraby! ¡Y qué ansias de viajar a Australia para olvidarse de ella! ¡Y de la señorita Whittemore, de la señora Dobbin, de la señora Mitchell…! Sí, debía olvidar. Empezar de nuevo con un corazón de piedra, en la tranquilidad de una granja alejada del mundo, alejada de Horston. Y dejar atrás a su padre, como siempre había deseado, y ahora, además, no volver a despertar ningún otro día con la ilusión de encontrarse con Blake.

Se dejó caer sobre la cama y empezó a llorar de forma desconsolada mientras «me enamoré de usted», regresaba a ella una y otra vez como un veneno corrosivo que le empañaba el alma.

El desasosiego y el dolor la acompañaron durante toda la noche pero, por fin, el cansancio de tanto llorar le permitió quedarse profundamente dormida.

Al despertar, se sentía agotada y seca de lágrimas, pero también con una determinación reforzada que hacía semanas que no notaba. Se aseó y pidió que le subieran un desayuno frugal a la habitación. Luego, se vistió y, cuando estuvo dispuesta, salió del hotel sin cruzar ninguna palabra con nadie y cogió su bicicleta aún abollada. Sin embargo, ni siquiera se acordó del señor Wayne.

Pedaleó, en primer lugar, hacia la vicaría para conseguir su certificado de nacimiento. Luego, pasaría por la notaría del señor Bloomfield y, finalmente, enviaría un telegrama a Maud para informarle de que anticipaba su viaje.

Decidió no atravesar el pueblo, por lo que cogió el atajo campo a través con intención de no encontrarse con nadie. Lo último que le apetecía era detenerse a hablar y fingir que era feliz.

Claro que no recordaba que el día de hoy era martes y tocaba reunión del club de lectura.

Cuando tomó conciencia de ello ya era demasiado tarde. Se encontraba a poca distancia de la vicaría cuando oyó la voz de la señora Dobbin que la llamaba y, al levantar la vista, Tess se encontró con varias mujeres ante la puerta de entrada, entre las que se encontraban las hermanas Larraby.

XXVIII

❧❧❧

Tras un primer instante en que no pudo disimular su sorpresa y en el que maldijo por dentro su mala suerte, o su mala memoria, acabó por forzar una sonrisa que enseguida fue correspondida por las otras mujeres.

Estuvo tentada de confesar que su intención no era la de acudir a la reunión y, a continuación, preguntar directamente por el señor Odell, pero la mirada, que a Tess le pareció retadora, de Olympia Larraby hizo que su orgullo aflorara y decidió no rehuirlas.

A pesar de que no había leído la parte del libro que tocaba, sino que había estado leyendo el que le había recomendado Maud, respondió con un ademán de cabeza a sus saludos, como si efectivamente acudiera a la reunión y, luego, aparcó la bicicleta junto a una verja. Respiró hondo antes de volverse hacia las demás, como si buscara fuerzas para aguantar los comentarios jactanciosos que imaginaba que iba a proferir Olympia Larraby.

Cuando la señora Odell apareció por la puerta y les pidió que entraran, la señorita Whittemore estaba a punto de decirle algo, pero hubo de reprimir su deseo y Tess lo agradeció.

—Echaremos de menos a la señorita Southgate —comentó la esposa del vicario mirando a Tess—. Su punto de vista en las interpretaciones de algunas escenas a veces es muy divertido.

Ella asintió al recordar que a Maud le gustaba bromear sobre las escenas de solteronas con las que se sentía identificada. Admiraba la capacidad de reírse de sí misma que tenía su amiga y lo cierto es que ahora notaba que esos días la había echado de menos. Pero ¿habría sido capaz de contarle hasta qué punto había llegado a sucumbir al magnetismo de Blake? Probablemente, no, porque en el fondo se avergonzaba de sí misma, aunque tal vez Maud lo hubiera adivinado.

—Del señor Blake, por supuesto —comentó la señora Mitchell mientras hablaba con Olympia y, al oír ese nombre, Tess fue consciente de que había estado absorta durante unos instantes y no había escuchado lo que las otras estaban diciendo. Procuró prestar atención.

—¡Oh! —respondió Olympia tratando de hacerse la interesante—. Sí, fue una tarde muy agradable.

—Y usted, ¿cuándo dijo que se casaba? —le preguntó la señorita Flanders a Tess, mientras le servía una taza de té que había preparado la señora Odell.

—En breve —dijo con un tono desafiante para el que no había ninguna necesidad, pues la señora Flanders era una de esas pocas personas sin mala intención—. Si el señor Odell está en la vicaría —añadió un poco más humilde—, me gustaría conseguir mi partida de nacimiento hoy mismo y arreglar los trámites cuanto antes. Sin eso, no puedo casarme.

Mientras la señora Odell le decía que efectivamente su marido se encontraba allí, la señorita Whittemore añadió:

—Pensé que ya había empezado los trámites la semana pasada. Se la veía tan impaciente...

—Y estoy impaciente, no lo dude, señorita Whittemore. Al principio, había decidido pasar las Navidades con mi padre, pero ahora pienso que, cuanto antes me vaya a Australia, mejor.

La señorita Whittemore abrió los ojos ilusionada con la posibilidad de encontrar carnaza en esa decisión y, con voz fingidamente dulce, preguntó:

—¿Ha ocurrido algo con su padre?

—No, claro que no. –Tess sonrió de forma exagerada para no dar pie a que siguiera preguntando–. Pero los dos pensamos que estos últimos días tienen algo de agónicos. En lugar de disfrutarlos, nos envuelve la nostalgia.

—Pues ya puede acostumbrarse porque, me temo, él no irá a Australia a visitarla y no sé si el señor Farrell le permitirá viajar mucho a usted. Un granjero debe ser prudente con sus ahorros.

—Estoy convencida de que el señor Farrell no me prohibirá venir si ese es mi deseo.

—Pero tendrá usted obligaciones. Y cuando vengan los bebés...

—Señoras, señoritas, por favor –las interrumpió la señora Odell y Tess lo agradeció–, esto no es un lugar para chismes. Parece mentira que siempre tenga que regañarlas por lo mismo. Tomen asiento y preparen las citas del libro que hayan marcado para comentar. La que haya leído más allá de donde acordamos, por favor, que evite anticipar acontecimientos. Ahora, si me disculpan, voy a calentar agua para servir el té y ahora les traeré la tarta de chocolate que he preparado. Espero que no la encuentren demasiado dulce.

Tess se disculpó por no haber llevado el libro y se sentó en un rincón procurando pasar desapercibida. Se encontraba lejos de las hermanas Larraby, pero, aun así, presentía la cara de satisfacción de Olympia. Mientras la señora Odell hacía la introducción al libro, ella no podía dejar de imaginarse el paseo entre la mayor de las Larraby y Blake y esa idea la martirizaba. Seedon Park era un lugar con recovecos idóneos para enamorados, ¿la habría besado a ella también? Una y otra vez, esa horrible imagen la perseguía.

—¿Usted qué opina, señorita Gardner? –le preguntó, de pronto, la señora Odell– ¿Está de acuerdo con lo que ha dicho la señora Dobbin, que Belle Wilfer se considera superior a John Rokesmith y por eso lo detesta?

—Sí –respondió en voz demasiado baja por el apuro, pues no sabía a qué se refería–. Sí, estoy de acuerdo con esa opinión.

La señora Odell la observó poco convencida, pero enseguida la señora Mitchell añadió:

—Pues yo creo que su actitud hacia él es una defensa.

—¿Una defensa? –preguntó la señora Odell.

—Es obvio que a la señorita Wilfer le interesa todo lo referente al señor Rokesmith. Desde el primer momento, aunque evita su mirada, está pendiente de él.

—Se trata de un inquilino de su padre que no tiene posibles. Resulta obvio que ese es el motivo de su desprecio —le objetó la señora Dobbin.

—Los Wilfer tampoco tienen dinero y no por eso Belle desprecia a su propia familia —insistió la señorita Mitchell.

—Pero ella está destinada a casarse con el heredero de Harmon y es una mujer ambiciosa —añadió la señora Dobbin.

—Explique eso que ha dicho antes sobre que su actitud es una defensa —requirió la señora Odell a la señora Mitchell—, ¿a qué se refiere?

La señora Mitchell se mostró emocionada ante el protagonismo que la señora Odell acababa de otorgarle.

—A que la señorita Wilfer se siente atraída por el señor Rokesmith, pero se niega a admitirlo porque piensa que él no le conviene.

—Y, si piensa que no le conviene, ¿no es acaso por su condición social? —preguntó la señora Dobbin con intención de dejar en evidencia a la señora Mitchell—. Creo que me está dando la razón.

—Me gustaría oír más opiniones, no sólo las suyas —intervino la señora Odell con afán de que la discusión no se convirtiera en algo personal.

A continuación, habló la señorita Whittemore y, a partir de ese momento, Tess volvió a perder el hilo del debate y de nuevo pensó en Blake. A su pesar, la turbulenta conversación que habían mantenido volvió a recrearse en su mente una y otra vez.

La reunión se prolongó durante más de una hora y, a Tess, aquel tiempo se le hizo larguísimo porque sentía que su presencia allí no tenía ningún sentido. Cuando por fin terminó, a pesar de que la señora Dobbin procuró retenerla en una nueva conversación, ella se disculpó y entró en la vicaría a buscar al señor Odell.

Al cabo de un rato, salía de allí con su partida de nacimiento y en dirección a la notaría. Pero, como de paso se encontraba la herrería del señor Wayne, se detuvo sin dudarlo en cuanto recordó que aún no le había dado las gracias por el arreglo de la bicicleta.

Cuando Wayne la vio, enseguida dejó lo que estaba haciendo y, tras limpiarse las manos con un trapo, salió a atenderla.

—¿Algún nuevo problema? –le preguntó.

—En absoluto. Mi bicicleta funciona perfectamente. Hizo usted un buen trabajo y debería haber cobrado por él.

—No fue un trabajo difícil. Ya vio que no invertí más de una hora.

—Una hora que dejó de invertir en otros trabajos.

—¿No habrá venido a discutir ese asunto? –le preguntó él con una sonrisa.

—No, me temo que sería una discusión estéril. Creo que es usted muy terco, señor Wayne. Pero sí he venido a darle las gracias. Es justo y necesario que lo haga.

—Pero no era necesario que viniera hasta aquí sólo para eso. Su agradecimiento ya me fue transmitido.

—No ha supuesto ninguna molestia. La herrería me venía de paso, ya que me he acercado al pueblo porque tengo pendientes unos trámites. De todos modos, es lo menos que podía hacer. Fue usted muy generoso.

—Ya le he dicho que fue un placer poder ayudarla –comentó–. Y me alegro de que se haya parado a saludar. Ahora, si me disculpa, me espera trabajo urgente.

—Claro, claro. Yo también debo aprovechar la mañana –dijo al tiempo que se despedía.

No supo por qué, Tess consideró que había encontrado un amigo precisamente ahora que iba a abandonar Horston. Se sentía a gusto hablando con el señor Wayne y, aunque lo consideraba guapo, sus sensaciones eran muy distintas a las que le inspiraba Blake. «Agradable», pensó. «Es un hombre muy agradable». Y, de nuevo, le dolió el extraño comportamiento de su padre hacia él.

Pero en cuanto montó en la bicicleta, los ojos presumidos de Olympia Larraby le hicieron olvidar al señor Wayne y la rabia volvió a apoderarse de ella. Se dirigió hacia la notaría y allí fue atendida por el señor Bloomfield, quien le informó de la documentación que debía presentar para redactar el papel que le permitiera casarse por poderes.

Tess se desanimó, pues, aunque ya tenía la partida de nacimiento y el pasaporte, y el certificado de empadronamiento era muy fácil de conseguir, también necesitaba un certificado de soltería y capacidad matrimonial y otro sobre la publicación de los edictos con arreglo a la necesidad del país. Todo eso podía demorar la licencia durante más de un mes y sus planes de marcharse en una semana se vieron truncados.

Salió desanimada, sobre todo porque sabía que el tiempo que aún permaneciera en Horston tendría que encontrarse frecuentemente con Blake, y eso era algo que no le apetecía. Y, mucho menos, si él tenía algún interés en Olympia.

Por primera vez, se preguntó por qué ella se había limitado a decir que había sido una tarde agradable en lugar de añadir detalles que despertaran la envidia a las demás y, también por primera vez, se le ocurrió la posibilidad de que él no la hubiera besado. ¿Era posible eso?

Pero eso era algo inverosímil, la belleza de Olympia no tenía rival y la baja calidad moral de Blake, tampoco. Así que hubo de admitir que su esperanza había sido ilusa.

Antes de regresar al hotel, se detuvo en la oficina de Correos y entró a enviar un telegrama a Maud para informarle del retraso de su viaje a Londres. Saludó al señor Honycutt y a Polly de forma escueta, puesto que la noticia la había dejado sin ganas de alternar con nadie.

Luego, regresó al hotel por el camino de Horston y, cuando se encontró en el punto en el que Blake había simulado su secuestro, sintió que se estremecía.

Se detuvo, desmontó de la bicicleta y se recreó recordando aquel momento. El caballo vacilante que no escapaba y la intervención del señor Courtenay, los brazos de Blake llevándola hacia el animal o las sensaciones de inseguridad que ahora volvían a apresarla. Se quedó unos momentos allí, hasta que se preguntó a sí misma qué pretendía con eso y por qué aún continuaba dedicándole sus pensamientos a un hombre como él. Al fin y al cabo, Blake no hacía otra cosa que seguir instrucciones de su padre. Desde el primer momento. ¿Por qué debería haber cambiado algo?

De nuevo, volvió a montar en su bicicleta y, esta vez sí, llegó al hotel sin más interrupciones.

Sam la saludó al verla llegar y ella entró en el vestíbulo dispuesta a subir a su habitación. Sin embargo, algo que le dijo el señor Young, la hizo cambiar de idea.

—Me temo que durante los próximos días el señor Gardner no estará de buen humor.

—¿Por qué dice eso? —le preguntó Tess.

—Ha depositado toda su confianza en un desconocido muy deprisa. Y ahora lamentará su marcha.

—No entiendo lo que quiere decir —comentó, confundida, Tess.

—El señor Blake acaba de decirme que deja Horston. Por lo visto, él pensaba que tenía las puertas cerradas en Londres por un malentendido sobre un accidente, pero no es así. Esta mañana ha ido al pueblo a primera hora a enviar un telegrama y hace cinco escasos minutos que ha recibido la respuesta.

—¿Le han ofrecido otro trabajo?

—Y, por lo visto, piensa aceptarlo. En estos momentos, acaba de acudir al despacho del señor Gardner para comunicárselo. Supongo que su padre no se lo tomará muy bien.

XXIX

ꗞꕥꗞ

Tess sintió un escalofrío al oír eso. El sobrecogimiento le hizo tomar conciencia de que no quería que él se marchara, a pesar del sufrimiento que podría ocasionarle. Y, de nuevo, emociones contradictorias se mezclaron en ella. Dejó el sombrero que se había quitado al entrar sobre el mueble de la recepción junto con su partida de nacimiento y, como si temiera que se acabara el tiempo, avanzó deprisa hacia el despacho de su padre.

El corazón le palpitaba veloz y, aunque estaba convencida de que quería odiar a ese hombre, la angustia ante la noticia de su marcha era el sentimiento que predominaba en ella.

Llegó acelerada, pero sin hacer ruido y encontró que la puerta del despacho no estaba cerrada del todo y a través de la ranura se oían las voces. Tess se detuvo al distinguir la de la de su su padre, aun sabiendo que no debía escuchar a escondidas. Sin embargo, ahora el decoro era lo que menos le importaba.

—No lo entiendo, no lo entiendo —se negaba a dar crédito Gardner—. Lo que puede conseguir aquí es mucho más que lo que le ofrecen en otro trabajo. Estoy dispuesto a mejorar sus condiciones. ¿O acaso tiene alguna queja? ¡He hecho caso de todas sus sugerencias!

—No se trata de condiciones ni tengo ninguna queja –se explicaba Blake–. Son mis circunstancias las que han cambiado.

—Los hermanos Renshaw han confirmado que vendrán en febrero. Sin póquer, es muy probable que anulen su reserva –objetó Gardner, como si pensara que así podría hacerle cambiar de opinión.

—Estoy seguro de que las partidas continuarán sin mí, como siempre ha ocurrido a lo largo de los tiempos.

—¿Y quién jugará por mí? –espetó Gardner.

Blake lo miró con indulgencia.

—Puede contratar a cualquier tahúr, pero, a mi entender, eso no le conviene. Lo importante no es que usted juegue a ser banca y a ganar dinero con el póquer, sino mantener un reclamo para los Renshaw y, eso, ya lo tiene organizado. Sólo debe continuar. Si, por el contrario, lo considera un modo de conseguir dinero en sí mismo, empezará a enfermar de una ambición desenfrenada que podrá llevarlo a la ruina. Sé de lo que hablo, Gardner. He visto cómo caían hombres que se consideraban dignos y, con ellos, fortunas de alcurnia.

Gardner se sorprendió ante el consejo moral de un hombre al que consideraba ajeno a ella y, tras un momento de perplejidad, añadió:

—Sólo hasta verano. Quédese hasta verano. Si es una cuestión de dinero…

—No es una cuestión de dinero –volvió a negar.

De nuevo, se hizo un momento de silencio que, tras un suspiro, Gardner volvió a romper:

—¿Le importa acercar la botella de whisky y dos vasos del aparador?

—Con un solo vaso bastará. Yo debo empezar a preparar mis cosas. Me gustaría irme hoy mismo –respondió Blake mientras se acercaba al aparador.

—No, insisto, traiga dos vasos. ¿No va a negarme un brindis antes de irse? –lo retó.

Blake acabó por ceder y, a continuación, se sentó en la silla frente a su mesa, tal como le indicaba Gardner. Si la intención del dueño del hotel era la de emborracharlo, no iba a ser tan estúpido como para caer en la trampa. Gardner cogió la botella y sirvió los vasos.

Durante esos momentos en que ninguno de los dos hablaba, Tess tomó conciencia del vacío que sentía al pensar en la marcha de Blake y, sin embargo, no fue capaz de recordar que había dedicado la mañana a preparar los trámites para la suya. Aún llevaba puesto el abrigo, pero un frío estremecedor recorría su cuerpo. Cierto abatimiento pesaba sobre ella y estuvo a punto de abandonar su espionaje y regresar a su habitación, pero algo la mantuvo allí como si estuviera paralizada.

—¿Por qué quiere que brindemos, Gardner? —preguntó Blake suspicaz.

—Escuche, Blake, sé que es ambicioso y piensa que aquí siempre será mi subordinado, pero, antes de tomar una decisión, quiero que escuche lo que tengo que decirle —le rogó y, después de una leve pausa, añadió—: Hace unos días que le estoy dando vueltas a este asunto. ¿Puedo preguntarle qué opinión tiene de mi hija?

Si, hasta el momento, Tess había estado escuchando la conversación con cierta templanza a pesar de la inquietud que la embargaba, al oír esa pregunta notó que el corazón le daba un vuelco y que toda ella se estremecía. Por un momento, estuvo a punto de perder el control y delatar su presencia allí, pero por fortuna supo reponerse para escuchar la respuesta de Blake. Ahora, desde luego, no quería irse.

—¿Qué tiene que ver Tess en esto? —preguntó él con tono suspicaz.

—Si usted la tolera, podríamos llegar a un acuerdo…

Blake lo contempló indignado y preguntó:

—¿Qué tipo de acuerdo?

—Primero necesito saber su opinión sobre ella.

—No me gusta que involucre a Tess en esto, Gardner. Usted no merece a su hija, ¿no le parece que ya la ha utilizado bastante?

Ella se sorprendió de que Blake la defendiera y todavía se puso más nerviosa. Apretó los puños y continuó su espionaje.

—No le pido que me venga con moralinas, quiero que me diga qué opina de ella —insistió, pero como notó que en la mirada de su interlocutor continuaba un deje de censura, añadió–: Sí, ya sé que no es la más bonita de Horston y que tiene un carácter difícil, pero si usted aceptara casarse con ella, yo estaría dispuesto a hacerlo mi socio inmediatamente. ¿Entiende lo que le estoy diciendo, Blake? –preguntó ante la mirada atónita de él–. Todo, absolutamente todo lo mío, será suyo.

—¿Está intentado utilizar a Tess para retenerme? –preguntó Blake, sorprendido y enojado mientras se levantaba de la silla–. ¡No puede estar hablando en serio, Gardner! –le espetó con rudeza y demostrando su desprecio hacia su falta de escrúpulos–. ¡No sé cómo puede atreverse siquiera a pensarlo!

—¡Oh! No le estoy pidiendo que sea un esposo ideal –respondió el señor Gardner malinterpretando el porqué de su reacción–, sólo que la corteje y se case con ella. Luego, puede hacer lo que quiera con quien quiera, siempre que sea discreto –se explicó Gardner sin ser consciente del dolor que esas palabras causaban en su hija–. ¿Va a renunciar a lo que le estoy ofreciendo? –insistió.

Tess sintió cómo la cólera subía por su cuerpo y estuvo tentada de entrar y enfrentarse a su padre, pero las palabras de Blake y la curiosidad que sentía por su respuesta la detuvieron. Al menos, ahora sabía que él no la había besado por encargo.

—¡Es un impresentable, Gardner! No todos los hombres son como usted. Aunque no lo crea, algunos aman a una sola mujer y le aseguro que quien tenga la suerte de ganar el afecto y el respeto de Tess no necesitará a otras. –Y tras una breve pausa, pero todavía evidentemente enfadado, añadió–: ¡Y deje ya de tratar a su hija como si fuera un objeto con el que hacer negocios! Su conducta, Gardner, le ha hecho más daño del que usted es capaz de imaginar. ¡Cada vez que pronuncia su nombre lo único que hace es ofenderla!

—No se trata sólo de negocios, Blake. Esta vez, no –dijo con voz de lamento el dueño del hotel–. Se trata de otra cosa… Ya sabe que no quiero que mi hija se vaya a tierras lejanas… Me consta que usted es del agrado de las mujeres. Si se esfuerza un poco, estoy seguro de que logrará cortejarla. Quiero que Tess se quede y ya no me queda a quien recurrir. Estoy desesperado. –Sus palabras sonaban a súplica.

—¿Y pretende comprarme a mí para arreglar algo que ha destruido usted solo? –le recriminó–. Ya le dije una vez que no me metiera en sus asuntos personales. Cometí el error de fingir su intento de secuestro porque necesitaba un trabajo, pero no sabe cuánto me alegré de que no le sirviera para sus propósitos. Tess merece a alguien que la quiera y la respete por lo que es, no porque la acompañe de una dote suculenta. Si fuera usted capaz de ver más allá de su propio egoísmo, descubriría la gran mujer que tiene por hija, pero eso es algo que no está en su mano.

—¡Usted no me entiende, Blake! –le gritó Gardner–. ¡Habla de lo que no sabe! Si no apreciara a mi hija, no me importaría que se fuera. Lo que hago, lo hago por amor a ella.

Blake lo miró con un punto de compasión, pero el trato que ese hombre demostraba hacia Tess no permitía que se suavizara su indignación.

—Lo siento, Gardner, no cuente conmigo –negó nuevamente–. Lamento que ella lo tenga como padre y, le juro que, si pudiera, yo mismo me la llevaría de aquí. ¡No sabe cuánto le perjudica su influencia! ¡Usted no sabe lo que es el amor!

Tess se sintió profundamente conmovida y emocionada ante esta manifestación y estuvo tentada de entrar en el despacho y agradecer a Blake sus palabras, pero la voz de su padre la mantuvo quieta tras la puerta.

—¡No necesita insultarme para decirme que se va! –respondió enojado Gardner y la desesperación lo llevó a atacar al mismo que estaba suplicando–. ¡Es usted un desagradecido, Blake! Llegó aquí sin nada y sólo yo le di una oportunidad. Ahora se lo estoy ofreciendo todo y… usted se dedica a insultarme. ¡No lo creía de esta calaña! –gritó–. ¡Váyase! ¡Váyase a esas islas españolas a construir puertos si es lo que quiere! Pero no le permito que me ofenda, ¿me ha oído?

—Por supuesto que me voy. Pero no sin antes decirle que me da lástima, Gardner. Se lamenta de que su hija lo abandone cuando el único culpable de que eso ocurra es usted. Y no me refiero a lo que hiciera durante su matrimonio, sino al ejemplo que acaba de mostrar en estos mismos momentos. Primero, trató de sacrificar la felicidad de su hija al intentar casarla con un viejo adinerado y, ahora, conmigo. Y ¿con qué finalidad? –Viendo que el otro no respondía, añadió—: Con la de mejorar el hotel. En ambos casos, usted sólo pretende usarla a ella para hacer una inversión. Su amor a este hotel es mil veces mayor al que siente por su hija, ¡no venga ahora a fingir que la quiere!

—¡Sí la quiero! Usted no sabe lo que es tener una hija…

—¿La quiere? ¡De un modo muy egoísta, Gardner! Tess merece a un hombre que la ame, no a alguien que se parezca a usted.

—¡Maldita sea, Blake! —estalló el señor Gardner ante esos reproches y, a la vez que también se levantaba de su silla, arrojó el vaso al suelo provocando un ruido que estremeció a Tess—. ¿Quién se cree que es para juzgarme? ¿Con qué altura moral viene a mi casa a llenarme de reproches? —le recriminó, pero enseguida se sintió derrumbado al pensar en su propia soledad—. Usted no puede entenderme porque aún es joven, pero yo… yo… Todo lo que he hecho por este hotel no servirá de nada si Tess se va. ¿Para qué lo quiero si no es para ver corretear por su jardín a mis nietos?

Sin embargo, sus palabras no consiguieron conmover a Blake.

—Eso, Gardner, es algo que debería haber pensado antes de tratar a su hija del modo en que lo ha hecho.

El dueño del hotel miró hacia la ventana y dijo, como si se lo preguntara a sí mismo:

—¿Qué padre no se preocupa por el futuro de su hija? ¿Cuántas mujeres no contraen matrimonios arreglados? ¿Por qué yo soy peor que otros padres?

—Porque Tess no es como las demás, ¿o es que usted aún no lo ha comprendido? —respondió casi en un grito y el otro hombre se volvió a mirarlo—. No conoce usted a su hija, Gardner. Y no sabe lo que se pierde.

—¿Que no la conozco? ¡Es terca y obstinada hasta el punto de casarse con un desconocido sólo para contrariarme! ¡Vaya si la conozco! —se quejó él.

—¿Cree que lo hace por eso? Se equivoca mucho, Gardner. Con ese matrimonio, lo único que pretende su hija es protegerse de hombres como usted.

—¿Qué quiere decir? —le increpó.

—Eso es algo que le corresponde a usted descubrir. Pero supongo que llega tarde. Tess se irá y es lo que usted se merece.

Gardner dudó un momento antes de responder.

—¿Qué sabe usted, Blake? ¿Por qué cree conocer a mi hija mejor que yo?

—Basta con observarla, algo que creo que no se ha detenido a hacer usted. Su hija es como una explosión de gardenias en un clima hostil. Es pura, cálida, dulce y usted sólo hace esfuerzos para que se marchite.

De nuevo, Gardner se quedó parado antes de responder al nuevo reproche mientras Tess, que seguía tras la puerta, temía que el pálpito de su corazón delatara su presencia. Las palabras «me enamoré de usted» que le había dicho aquella mañana habían tomado ahora otro cariz y ella sabía que Blake no había fingido sus besos. Se sentía emocionada, enamorada y también entristecida al oír a su padre.

—Me voy, Gardner. Y, si quiere ver nietos, ajuste cuentas con quien ya sabe —respondió Blake comenzando a darle la espalda a su interlocutor.

—¿A qué se refiere? —preguntó de inmediato el dueño del hotel provocando que el otro se girara de nuevo.

—A su hijo, Gardner.

Tess se estaba apartando de la puerta al notar que Blake pensaba salir, pero, al oír estas últimas palabras, quedó tan estupefacta que, en lugar de alejarse, se acercó aún más y afinó su oído.

—¿Qué puede saber usted sobre eso? —gruñó más que preguntó el dueño del hotel.

—Lo sé yo como lo saben todos, Gardner, a pesar de su disimulo. Y Tess también debería saber que tiene un hermano.

Dicho esto, Blake no pensaba quedarse a discutir ese asunto. Esta vez sí, se dirigió hacia la puerta con intención de salir, pero antes de que lo hiciera, Tess entró con una expresión desencajada, furiosa y que demostraba estar dispuesta a reclamar cuanto hiciera falta.

XXX

❧✦❧

—¡No me lo puedo creer! —exclamó, mientras se dirigía hacia la mesa en la que estaba Gardner—. ¿Es cierto eso, padre?

—¡Claro que no es cierto! —negó tartamudeando Gardner y, cuando superó la sorpresa de ver allí a su hija, dirigiéndose hacia Blake, añadió—: ¡Mire lo que ha conseguido!

Pero Tess hizo caso omiso a su negación e insistió.

—¡Míreme a los ojos, padre, y conteste! ¿Tengo un hermano? —le exigió sin contemplaciones.

Gardner no respondió, pero el miedo en su mirada y la forma de esquivar la suya hicieron entender a Tess que eso era cierto.

—¡Cómo ha podido ser tan cruel, tan falso, tan hipócrita…! —le recriminó su hija—. ¿Dónde está mi hermano? ¿Qué edad tiene el niño?

—Son rumores, sólo rumores… —comentó su padre, bajando la cabeza.

—No es un niño, Tess, ya no es un niño —intervino Blake, al tiempo que la contemplaba con cierta compasión.

—¡Oh! —exclamó mientras miraba a uno y otro y ataba cabos—. ¿Mi hermano es… mi hermano es Nicholas Wayne? —preguntó al principio dudosa, pero lo repitió con mayor convicción—. ¿Es el señor Wayne?

—¡Blake, esto no voy a perdonárselo! —masculló el señor Gardner, que continuaba sin afrontar la mirada de su hija.

—Y yo se lo agradeceré siempre —afirmó Tess—. A quien no voy a perdonar, padre, es a usted. Nicholas Wayne es una buena persona. ¿Qué le hizo para que usted lo desprecie tanto? ¿Nacer? ¿Eso hizo? —le reprochó cada vez más indignada.

—¡Fue un desliz! —gritó sin darse cuenta de que así empeoraba el humor de su hija—. Fue algo que ocurrió antes de conocer a tu madre. Yo no sabía que aquella mujer hubiera quedado en estado hasta que me trajeron al bebé diciendo que ella había fallecido. ¿Qué iba a hacer? —se defendió—. ¿Criar a un bastardo? ¿Condenarlo a la indignidad de esta sociedad hipócrita? Ni siquiera estaba seguro de que fuera hijo mío —añadió.

—No hable usted de hipócritas, padre —lo regañó Tess entre dientes.

—Los Wayne querían hijos y no podían tenerlos. Les pagué por su manutención hasta que él pudo trabajar en la herrería. ¡Hice lo mejor que pude por él!

—¿Lo mejor? ¡Ni siquiera le dirige la palabra y lo humilla contratando a otros herreros! Y, por las palabras de Nicholas, es obvio que él sabe que usted es su padre. ¿Se imagina cómo debe sentirse? ¿Se ha preocupado alguna vez por el dolor que debe causarle ver que su propio padre lo desprecia?

—¡Él no debería saber que yo soy su padre! La culpa de todo esto la tienen la señorita Whittemore y sus ganas de malmeter en todos lados. Si ella no hubiera hablado, tu madre nunca hubiese sabido nada, Tess, y no me hubiera abandonado... ¡Yo sólo la protegía a ella! ¡Sólo quería protegerla a ella! —comentó mientras se derrumbaba sobre su silla.

—¡Eso no es cierto! ¡Usted mismo ha dicho que Nicholas ya había nacido cuando conoció a mi madre!

Un silencio quedó flotando en el despacho porque Tess notó que el orgullo de su padre se había desvanecido.

Gardner tampoco respondió. Como si hubiera asumido la estocada definitiva, quedó con mirada ausente y se sirvió otra copa de forma automática. Mientras, Blake cogía la mano de Tess y se la apretaba a modo de complicidad. Ella agradeció el gesto y cerró los ojos tratando de asumir todo lo que había escuchado.

Blake la abrazó y Tess reclinó la cabeza sobre su hombro aceptando su consuelo. En ese momento, resultó inevitable que unas lágrimas comenzaran a brotar de sus ojos mientras él acariciaba su cabello.

Al cabo de unos minutos, Gardner volvió a hablar.

—Si tu madre lo hubiera sabido, no habría querido casarse conmigo y tú no habrías nacido…

—¿Esa es toda su defensa, padre? —dijo mientras se soltaba de Blake y se giraba hacia su progenitor de nuevo furiosa—. Y ¿para qué necesitaba usted que yo naciera? ¿Para venderme al mejor postor? ¿Para intentar comprarme un marido?

—¿También has oído eso?

—Sí, padre. He oído lo suficiente para saber que no puedo permanecer ni un día más bajo su techo —dijo ahora algo más calmada, pero igualmente decidida.

—Sólo intentaba que te quedaras aquí.

—Pues ha conseguido que me vaya más rápidamente. Señor Blake, ya que los dos nos dirigimos a Londres, ¿le importaría…?

Mientras ella buscaba cómo formular la pregunta, él se le adelantó:

—La acompañaré hasta donde desee.

—Gracias —respondió Tess complacida por la sonrisa que le dedicó Blake y, consciente de que había sido injusta con él, añadió—: Lamento haber pensado mal de usted.

—Ahora eso no importa —rechazó él.

Procurando recuperar sus fuerzas, Tess le preguntó:

—¿Cuándo piensa partir?

—A las siete y diez sale el último ferrocarril.

—Prepararé mis cosas, no será mucho. Pero antes, me gustaría pasar por la herrería. Quiero hablar con mi hermano.

—Por supuesto —accedió Blake.

—Tess, no te precipites —le imploró el señor Gardner—. Podemos hablar y ver cómo lo arreglamos. Además, Londres es peligroso. Hay un asesino suelto…

—No me estoy precipitando, padre —lo interrumpió—. Más bien, yo diría que he tardado demasiado tiempo en dar el paso definitivo. Como le dije una vez, hay cosas que no puedo perdonar.

—Supongo que, entonces, es verdad... —comentó a su hija desolado—. ¡Te vas!

Tess se secó las lágrimas que le quedaban y, ahora, sin rencor, añadió:

—Sí, me voy. Y usted también debería hablar con Nicholas. ¡Se lo debe, padre!

—¿Para qué? Él me odia, tú me odias, tú madre me odiaba...

—Queda muy patético en esa actitud autocompasiva, padre. Tal vez, debería cuestionarse lo que ha hecho, no los sentimientos que esto ha provocado en los demás... —comentó sin regañarlo—. Yo no lo odio, pero está claro que su cercanía me hace daño. Y si mi madre lo hubiera odiado, no hubiese muerto de dolor... No creo que Nicholas lo odie, padre, no fue eso lo que leí en sus ojos.

Gardner la observó con mirada brillante y lejana y, luego, repitió.

—Te vas... —esta vez ya no la miraba, como si asumiera que todo había acabado, y de nuevo se rellenaba la copa con notable afán de emborracharse.

Tess asintió con un gesto mientras Blake la cogía de una mano y se la apretaba. Ella lo miró a los ojos y, a continuación, permitió que él la acompañara afuera del despacho sin soltarle la mano.

Una vez en el vestíbulo, Tess volvió a hablar.

—No me he disculpado por mi comportamiento con usted del otro día.

—Cierto —respondió él, mientras la conducía hacia lo que hasta esos momentos había sido su despacho.

—Ni le he dado las gracias por defenderme cómo lo ha hecho ante mi padre.

Esta vez él no respondió, pero sí le dedicó una sonrisa complaciente mientras abría la puerta y la empujaba suavemente para que entrara.

—Bien, pues ahora puede empezar a hacerlo —respondió Blake tras cerrar la puerta y quedar apoyado en ella, pero aún sin soltarle la mano—. Porque es cierto que la ayudaré a viajar a Londres, pero no moveré un dedo para facilitarle su marcha a Australia.

Tess lo contempló temblando, ahora con sensaciones similares a las que la habían mantenido tantas noches en vela, y, cuando iba a decir algo, calló al notar que la mano libre de él agarraba su mentón.

—Venga conmigo –le pidió él clavándole sus ojos verdes con descaro.

Ella sonrió y asintió con la mirada. Después de la conversación que había oído, no tenía ninguna duda sobre él.

—¿No quiere saber adónde? –preguntó él arqueando las cejas.

—No me importa –respondió ella como si asumiera que sin él nada tenía sentido.

Blake la acercó hacia sí y la besó. Esta vez de forma suave y dulce, consciente de todas las emociones que acababa de vivir ella. Pero pronto sus bocas cobraron vida propia y ambos se dejaron llevar por la vertiginosa sensación de pertenecer al otro mientras sus cuerpos se fundían en un abrazo.

Como si no dieran crédito y necesitaran comprobar la realidad de esos momentos, o como si los hubieran estado aguardando con impaciencia infantil, se dejaron llevar una y otra vez por el beso que no cesaba mientras se palpaban la cara, el cabello, los hombros… como en una exigencia.

—¿Estás segura? –preguntó Blake cuando se detuvieron a respirar.

—Tendré que escribir al señor Farrell. No sé qué voy a decirle.

—¡Ah! ¡El famoso señor Farrell! –comentó Blake mientras atravesaban el vestíbulo hacia el jardín–. Me tiene muy intrigado saber qué te atraía tanto de ese hombre.

—Y, a mí, el motivo de tu paseo con Olympia Larraby.

—¿Con Olympia? –se sorprendió–. ¿Querrás decir con su padre? Ella sólo nos acompañó una pequeña parte del trayecto. ¿Por eso estabas enfadada?

—En ese lugar al que vamos, ¿hay señoritas Whittemore? –preguntó sonriendo al tiempo que arqueaba las cejas.

—Probablemente. No hay lugar que se precie que no tenga al menos una docena de ellas.

—Entonces, me temo que tendré que confiar en ti.

Ahora fue Blake quien arqueó una ceja y volvió a coger a Tess de la mano, la acercó a su rostro y se la besó.

—Prometo que no te daré motivos para que dejes de hacerlo. Prometo que no sufrirás como lo hizo tu madre, que cada momento de mi vida lo dedicaré a hacerte feliz. Pero dime que confías en mí.

—Después de lo que he escuchado, no podría dejar de confiar en ti. Y, si me has besado —bromeó—, doy por supuesto que ya sabías que tienes mi respeto.

—Pero ayer pensabas que yo era responsable de un sabotaje...

—Lo entendió mal la señora Young, pero yo no la hubiera creído si no hubiese estado predispuesta contra ti después de saber que habías visto a Olympia.

—Tess, yo no puedo evitar que algunas mujeres piensen que pueden conseguir algo de mí. Es una maldición con la que siempre he vivido. Por eso es importante que confíes en mí. Yo no soy de esos.

—Blake...

—Llámame Leo, por favor.

—Leo... Confío en ti, ya te lo he dicho. Lo que no sé es si podrás confiar tú en mí después de mi traición.

—¿Cómo no voy a entender las dudas en la hija de Colin Gardner? —la miró como si fuera consciente de todas sus vacilaciones y ella agradeció su comprensión. Luego, él añadió—: Me gustaría pedirte un favor antes de irnos.

—¿Qué tipo de favor?

—Me gustaría acompañarte al cementerio a despedirte de tu madre.

—Y de mi abuela... claro que puedes acompañarme. Pero con Nicholas me gustaría hablar a solas. Creo que tenemos mucho que decirnos.

—Me pareció un buen tipo.

—A mí también.

—¿No te molestará dejar Horston ahora que has descubierto que tienes un hermano?

—Horston está vinculado a mi padre. Sería peor vivir aquí y ver cómo él desprecia a Nicholas —dijo con seguridad—. Le pediré a la señora Young que me ayude a hacer el equipaje —luego, pensó un momento y añadió—: Echaré de menos a la señora Young.

—Tess, me gustaría hacerlo bien —añadió él.

—¿A qué te refieres?

—Me gustaría que llegáramos a la isla con los papeles arreglados. Podemos aprovechar los días en Londres para formalizar la boda.

—Señor Blake, ¿me está pidiendo que me case con usted?

Él la miró como si estuviera dispuesto a consentir todos sus caprichos y añadió:

—¿Quieres que me arrodille?

Ella sonrió y lo besó suavemente los labios. Luego, le preguntó:

—¿Has dicho que soy como las gardenias?

Epílogo

இௐௐ

$\mathcal{M}$ientras Blake regresaba al carruaje después de bajar el equipaje, Tess atravesaba la puerta de la mansión del hermano de Maud Southgate en Londres. Un mozo se encargó de las maletas y el mayordomo la hizo pasar a la sala de visitas y le pidió que esperara.

Antes de que hubieran pasado dos minutos, Maud entró atropelladamente en la estancia exultante de alegría.

—Quiero verte los ojos —le exigió sin tan siquiera saludarla—. Quiero que me repitas lo que me contabas en tu telegrama mirándome a los ojos y con todo lujo de detalle. ¡Todavía no me lo creo! ¿El señor Blake? ¿En serio vas a casarte con el señor Blake?

Tess sonrió mientras asentía.

—Es muy distinto a cómo imaginaba —se justificó—. Es serio, responsable, honrado...

—¡Tess! ¡Estás enamorada!

De nuevo, la recién llegada asintió con una sonrisa.

—¿Qué ha pasado con tu idea de un matrimonio sin sentimientos? ¿Y con tus críticas a Olympia Larraby por su inclinación tan poco conveniente?

—No me recuerdes mis pecados, Maud, o me olvidaré de muchos detalles cuando te lo cuente todo.

—Debes entender que estoy muy sorprendida. ¡Y desconcertada! A finales de esta mañana he recibido un telegrama en el que me dices que adelantas tu marcha a Australia y en breve estarás en Londres. Dos horas después, recibo otro en el que me anuncias que te casas con el señor Blake y que esta misma noche nos veremos. Estoy intrigadísima. Prometo ser buena. Al menos, hasta que escuche la historia completa. Pero después, permíteme que bromee un poquito, sólo un poquito y sin mala intención.

—Supongo que no te lo puedo negar; además, no serás más impertinente que la señora Young, puedes estar segura.

—¿La señora Young no ve con buenos ojos vuestro matrimonio?

—¡Oh, sí, ahora sí! Al principio no simpatizaba con Leo, pero después de todo lo que ha sabido, está encantada. Tanto que no ha parado de burlarse de mí, con cariño, eso sí, pero como si tuviera la lengua de la señorita Whittemore.

—¡Oh! Entonces, es que hay mucho que contar. Mi tía Mary aún tardará en venir, así que al menos tenemos una hora antes de que venga a recogernos para ir a cenar. Por cierto, ¿dónde está tu señor Blake?

—Ha ido a alquilar una habitación de hotel. Mañana a primera hora irá a la iglesia en que lo bautizaron para buscar su partida de nacimiento. Tendremos que permanecer en Londres mientras se publican los edictos, pero después de la boda, embarcaremos hacia una isla española.

—¿Una isla?

—Sí, en el Atlántico. Están construyendo un puerto y necesitan mano de obra. El señor Palmer se encargará de que le hagan cartas de referencia.

—¿El comisario de policía? Me temo, querida Tess, que tendrás que empezar por el principio. O por el final, porque lo que más intrigada me tiene es saber qué han dicho las lenguas cotillas de Horston.

—Ha sido todo muy rápido y sólo me he despedido del personal del hotel. Mañana escribiré a la señora Odell. Pero puedo decirte que la señora Dobbin nos ha visto en la estación y, aunque no ha llegado a tiempo para hablar con nosotros porque ya subíamos al ferrocarril, siempre recordaré su cara de estupefacción.

¡Oh! Te prometo que, en cuanto regrese a Horston, te escribiré para contarte todo lo que se diga de ti. Incluso lo bueno, si lo hay.

Tess soltó una pequeña risotada.

—Deben de estar muertas de envidia —añadió Maud.

Tal como le había prometido, Tess le contó todo lo ocurrido desde que su amiga había partido hacia Londres. Incluso lo referente a Nicholas Wayne.

—Debo confesar, Tess, que sobre ese tema intuía algo. Nunca me había atrevido a hablar contigo porque no tenía confirmación, pero una vez escuché una conversación entre mis padres que me hizo sospechar algo. ¿Puedes perdonarme?

—A ti, por supuesto. A quien no puedo perdonar es a mi padre. Tal vez podría perdonarle todo cuanto a mí respecta, pero no lo que le ha hecho a Nick. Hemos tenido una conversación muy emotiva antes de coger el ferrocarril. ¿Puedes creerte que hace sólo unos meses que él sabe que somos hermanos? Por eso me observaba tanto. Y yo que llegué a pensar que despertaba su interés...

—Sin duda, lo despertabas.

—Sí, pero no del tipo que imaginaba... Pensarás que soy muy presumida.

—Orgullosa, sí; presumida... dudo que sea un calificativo que se te pueda aplicar.

—Tú, Nick y la señora Young seréis lo único que echaré de menos de Horston.

—Te vendrá bien alejarte de tu padre, aunque, si te soy sincera, creo que te quiere.

—Sí, me quiere... A su manera. Y es esa manera la que nos hace incompatibles.

—Tal vez, cuando tú no estés, se acerque al señor Wayne.

—No lo sé. Sería lo justo para Nick —y, tras quedarse un momento pensativa, añadió—: Mi padre ha estado muy callado las últimas horas que he pasado en el Maple Path. He sentido mucha pena al verlo, parecía ausente... Pero no puedo dejar que la compasión determine mi futuro.

—Haces bien. Y, sobre todo, tienes la suerte de casarte enamorada con un hombre que te adora y respeta.

—¿Y tú? No he parado de hablar y aún no sé si has conocido a alguien en Londres que haya despertado tu interés.

—¿Sabes si el señor Blake tiene hermanos? —preguntó irónica Maud—. Porque te prometo que nunca había conocido hombres tan feos como los de estos días. Mi única esperanza recae en el señor Roylance, que llegará a la capital justo antes de Navidad. Según mi tía Mary, es un soltero muy cotizado.

—Espero tener la posibilidad de conocerlo. Por cierto, Leo quiere que mañana tu tía y tú cenéis con nosotros. Tiene previsto reservar en un restaurante importante.

—Mi tía estará encantada, pero debo advertirte de que, aunque sea viuda y ya esté cercana a los sesenta, no desaprovechará la oportunidad de coquetear con tu señor Blake. Me temo que hará lo mismo con el señor Roylance, por la forma que tiene de hablar de él.

—¡Oh, Maud! Espero que no te cases con el señor Roylance si no sientes, al menos, la mitad de lo que yo siento por Leo.

—Me sorprendes de nuevo, Tess. ¿Ahora te vas a convertir en una defensora de los matrimonios por amor? ¡Dios me libre de ser razonable en mi elección, te tendría siempre por enemiga! —bromeó—. No —negó a continuación—, si alguna vez me caso, será como tú, movida por una pasión desenfrenada. Y prometo actuar con el descaro de las Larraby.

—Te estás burlando.

—¡Oh! ¡De eso nada! Más bien dirás que te estoy envidiando.

*

Los días en Londres, mientras esperaban a que se celebrara la boda, estuvieron llenos de ansias y felicidad por igual. El señor Gardner no apareció para impedir el enlace y una carta, sincera y escrita con delicadeza, fue enviada a Australia con la dirección del señor Farrell.

Cuando Tess cambió su apellido y pasaron a llamarla señora Blake, embarcaron rumbo a su nuevo destino.

A medida que bordeaban la costa africana se iba notando la calidez del clima. Tess estaba asomada a la borda, viendo su porvenir con la imaginación más que con los ojos.

—¿Te preocupa qué ocurrirá a partir de ahora? —le preguntó su esposo mientras la abrazaba por la cintura.

—No, no es preocupación lo que siento.

—Deberías. Has perdido tu seguridad a cambio de un futuro incierto —le recordó.

—Me parece que lo que buscas es que te diga que te quiero —se burló ella con cariño— y que me arriesgaría una y mil veces a un futuro incierto con tal de estar a tu lado.

—¿Y me lo dirás? —sonrió Blake.

—Cada mañana de cada día.

—¿Y sabes qué recibirás a cambio? —le preguntó al tiempo que la obligaba a girarse y mirar hacia él.

Tess asintió, cerró los ojos y esperó a que Blake la besara.

Una suave a brisa acarició ese beso, uno de los muchos que hubo durante aquel viaje, mientras la estela del buque desaparecía hacia el norte y los recién casados navegaban rumbo al sur.